CAMILLE SAINT-SAËNS

Le Timbre d'argent

Hélène Guilmette
Jodie Devos
Edgaras Montvidas
Yu Shao
Tassis Christoyannis
Jean-Yves Ravoux
Matthieu Chapuis

Les Siècles
accentus
François-Xavier Roth

CAMILLE SAINT-SAËNS

Le Timbre d'argent

Premier enregistrement mondial

PREMIÈRE ÉDITION LIMITÉE ET NUMÉROTÉE À 4000 EXEMPLAIRES

FIRST LIMITED AND NUMBERED EDITION OF 4000

cet exemplaire a le numéro

this copy is number

3141

**PALAZZETTO
BRU ZANE**
CENTRE
DE MUSIQUE
ROMANTIQUE
FRANÇAISE

'Opéra français / *French opera*' series

Editorial direction: Alexandre Dratwicki / Palazzetto Bru Zane
Project management: Camille Merlin / Palazzetto Bru Zane
Editorial consulting: Carlos Céster
Design: Valentín Iglesias
English translations: Charles Johnston
French translation of Hugh Macdonald's essay: Dario Rudy

© 2020 Palazzetto Bru Zane – Centre de musique romantique française
San Polo 2368 – 30125 Venice – Italy
bru-zane.com

ISBN: 978-84-09-20190-7
Legal deposit: Madrid, April 2020 – M-11671-2020
Made in Spain

Sommaire

Contents

Le Palazzetto Bru Zane – Centre de musique romantique française a pour vocation de favoriser la redécouverte du patrimoine musical français du grand XIXe siècle (1780-1920) en lui assurant le rayonnement qu'il mérite. Installé à Venise, dans un palais de 1695 restauré spécifiquement pour l'abriter, ce centre est une réalisation de la Fondation Bru. Il allie ambition artistique et exigence scientifique, reflétant l'esprit humaniste qui guide les actions de la fondation. Les principales activités du Palazzetto Bru Zane, menées en collaboration étroite avec de nombreux partenaires, sont la recherche, l'édition de partitions et de livres, la production et la diffusion de concerts à l'international, le soutien à des projets pédagogiques et la publication d'enregistrements discographiques.

The vocation of the Palazzetto Bru Zane – Centre de musique romantique française is to favour the rediscovery of the French musical heritage of the years 1780-1920 and obtain international recognition for that repertory. Housed in Venice in a palazzo dating from 1695 specially restored for the purpose, the Palazzetto Bru Zane – Centre de musique romantique française is a creation of the Fondation Bru. Combining artistic ambition with high scientific standards, the Centre reflects the humanist spirit that guides the actions of that foundation. The Palazzetto Bru Zane's main activities, carried out in close collaboration with numerous partners, are research, the publication of books and scores, the production and international distribution of concerts, support for educational projects and the production of recordings.

BRU-ZANE.COM

Bru Zane Classical Radio –
the French Romantic music webradio:
BRU-ZANE.COM/CLASSICAL-RADIO

Bru Zane Mediabase –
digital data on the nineteenth-century French repertory:
BRUZANEMEDIABASE.COM

**PALAZZETTO
BRU ZANE**
CENTRE
DE MUSIQUE
ROMANTIQUE
FRANÇAISE

Quand sonne l'heure de la redécouverte

Agnès Terrier & Alexandre Dratwicki

Se pencher sur *Le Timbre d'argent* de Saint-Saëns est une formidable occasion de juger des rendez-vous manqués avec la célébrité. Jamais, peut-être, ouvrage lyrique du xixe siècle ne multiplia autant les occasions de révéler l'originalité d'un auteur tout en laissant, à chaque fois, passer sa chance. Composé en 1864, créé dans une version considérablement modifiée en 1877, repris enfin – après d'interminables négociations – en 1914, l'étincelante partition de Saint-Saëns fut victime aussi bien des cabales journalistiques que des banqueroutes théâtrales, pour achever sa carrière tout juste entamée à l'aube du premier conflit mondial. Pourtant, tout semblait rassemblé pour séduire le public : aussi bien la veine populaire de la « Chanson napolitaine », que les déploiements symphoniques de la plus longue ouverture jamais écrite par l'auteur, ou encore la trame fantastique d'un sujet proche des *Contes d'Hoffmann* d'Offenbach. Cerise sur le gâteau, la protagoniste de cette intrigue à rebondissements est incarnée par une danseuse, dont le Paris romantique raffolait depuis les premières heures de l'Empire. Et Saint-Saëns, pendant cinquante ans précisément, ne se résolut jamais à abandonner son ouvrage qu'il jugeait digne d'un meilleur sort et encore valable artistiquement face aux avancées musicales décisives de Debussy et de Ravel.

Que *Le Timbre d'argent* ait dû attendre 2017 pour être remonté sur une scène de théâtre, à l'Opéra Comique, et 2020 pour être disponible en enregistrement discographique qui témoigne de ce spectacle, ne doit pas surprendre car, curieusement, l'œuvre lyrique de Saint-Saëns demeure étonnamment méconnu. Alors que son nom circule aujourd'hui dans tous les pays du monde grâce à son *Carnaval des animaux*, sa *Danse macabre*, sa *Symphonie « avec orgue »* et ses concertos pour piano ou pour violoncelle, il ne reste aucune trace, ou presque, de *Déjanire*, de *Phryné*, de *Frédégonde*, de *L'Ancêtre*... Quand Massenet semble sorti du purgatoire, quand des œuvres rares de Gounod sont peu à peu réhabilitées (*Cinq-Mars* et *La Nonne sanglante*, notamment), tout reste à faire dans le cas de Saint-Saëns. Clairement, de même que *Carmen* occulte le corpus lyrique de Bizet, *Samson et Dalila* paraît jeter une ombre fatale sur les autres opéras de l'auteur.

Ressusciter *Le Timbre d'argent* pose bien sûr la question de la version à choisir. Comme l'expliquent les auteurs des articles qui suivent, chaque formulation de l'ouvrage possède sa justification et sa dramaturgie propre. Le Palazzetto Bru Zane, le directeur de l'Opéra Comique, Olivier Mantei, et le chef d'orchestre François-Xavier Roth, se sont concertés pour retenir l'ultime mouture révisée pour le théâtre de la Monnaie en 1913. C'est celle qui contient le plus de pages musicales, remplaçant les dialogues parlés par des récitatifs plus captivants à l'enregistrement. Une seule coupure a dû être réalisée pour des raisons scéniques, et n'a pas été intégrée dans le disque : il s'agit de la valse symphonique du dernier acte, dont le thème apparaît néanmoins à d'autres moments de la partition. Cette lacune sera bientôt comblée, car il est d'ores et déjà prévu d'enregistrer ladite valse dans une anthologie symphonique à paraître.

Espérons que l'enthousiasme et l'investissement des interprètes de la production de juin 2017, mise en scène par Guillaume Vincent, soient pleinement restitués dans cet enregistrement. Ils convaincront alors les auditeurs, comme le furent les spectateurs de l'Opéra Comique, du caractère exceptionnel du *Timbre d'argent*, pièce palpitante et partition flamboyante, témoignage du génie dramatique de Saint-Saëns.

———

LE TIMBRE D'ARGENT

J. BARBIER & M. CARRÉ   DRAME LYRIQUE EN 4 ACTES   MUSIQUE de CAMILLE SAINT-SAËNS

Lithographie de Leray pour *Le Timbre d'argent*.
Bibliothèque nationale de France.

Lithograph by Leray for *Le Timbre d'argent*.
Bibliothèque Nationale de France, Paris.

Le Timbre d'argent et ses transformations

Hugh Macdonald

En 1880, lorsque l'on demanda à Saint-Saëns d'effectuer quelques révisions à son *Timbre d'argent* qui n'avait alors été monté que deux fois, à Paris et à Bruxelles, en vue d'une possible production à Saint-Pétersbourg, le compositeur répondit : « Savez-vous bien que ce sera la sixième version ? Ce n'est plus un opéra, c'est un cauchemar. »

De fait, l'œuvre ne fut pas montée en Russie, mais le « cauchemar » ne prit pas fin pour autant puisque Saint-Saëns dut se remettre au travail en 1894, en 1903 puis à nouveau en 1913. De tous les opéras du compositeur, *Le Timbre d'argent* est celui qui aura connu le plus grand nombre de révisions et d'altérations. Voilà un motif légitime de rappeler aujourd'hui cette œuvre à la vie et de l'étudier. Une autre bonne raison tient à son livret, exemple réussi du travail collégial de Jules Barbier et Michel Carré, un couple de librettistes phare de cette période dont la plume viendra nourrir Halévy, Meyerbeer, Bizet, Reyer, Gounod (*Faust, Mireille, Roméo et Juliette* entre autres), c'est-à-dire le panthéon des compositeurs français d'alors.

Choudens publia la réduction pour voix et piano en 1877, à l'époque de la première représentation. Cet éditeur se faisait fort de satisfaire ses clients en leur proposant la version qu'ils pouvaient entendre sur scène au même moment. Il mettait plus d'acharnement que les autres marchands de musique de la place parisienne à réimprimer des versions révisées des opéras de son catalogue, tandis que Durand par exemple – qui publiera les opéras plus tardifs de Saint-Saëns – ne rééditait les partitions vocales et orchestrales que lorsqu'il y était contraint. C'est la raison pour laquelle on dispose aujourd'hui de six variantes du *Timbre d'argent* pour voix et piano, chacune reflétant les divers états de cet opéra entre 1877 et 1913. Lorsque Saint-Saëns mentionne six versions en 1880, seules deux avaient été imprimées à cette date. Les quatre autres qu'il se remémore ont existé entre 1864 (date de la composition de l'opéra) et sa première représentation.

Mais tous ces remaniements ne tiennent pas compte de l'histoire du livret avant qu'il n'atterrisse entre les mains de l'artiste. La genèse de ce texte commence vers 1852, sous la forme d'un projet de pièce déclamée pour le théâtre de l'Odéon. Au début de leur carrière, Barbier et Carré écrivent des ouvrages parlés dont certains deviendront plus tard des opéras. Les exemples les plus célèbres sont *Faust et Marguerite,* signé par le seul Carré en 1850, et *Les Contes d'Hoffmann* qu'ils écrivent tous deux en 1851, pièces qui feront la gloire de Gounod et d'Offenbach. Ces trois histoires mettent en scène une figure mystérieuse qui abuse de la faiblesse de ses victimes en adoptant divers déguisements et finit par exiger un lourd tribut en échange des satisfactions charnelles ou pécuniaires demandées par ses proies. Dans *Le Timbre d'argent,* l'équivalent de Méphistophélès et du Conseiller Lindorf est incarné par Spiridion, un « docteur » qui apparaît dans chaque acte sous des costumes différents. Dans leurs adaptations opératiques, les barytons-basses maléfiques font tous leur entrée sur une accord de septième diminuée pour attirer leurs victimes – des ténors – dans leur pacte funeste. Le pendant des personnages d'Hoffmann et de Faust est campé par Conrad, un peintre tourmenté, épris de la danseuse Fiametta qui lui a servi de modèle pour son portrait de Circé, bien qu'il soit presque fiancé de l'irréprochable Hélène.

Sans que l'on sache véritablement pourquoi, *Le Timbre d'argent* dans sa version théâtrale ne fut pas monté. Ses auteurs le remanièrent pour en faire un « opéra fantastique » qu'ils confièrent tour à tour à Xavier Boisselot et Henry Litolff. Boisselot, compositeur paresseux, n'écrivit que trois opéras au cours de sa longue vie. De son côté, Litolff avait probablement trop à faire pour accepter l'offre. Le livret échoua alors entre les mains de Fromental Halévy, célébrissime compositeur de *La Juive* et secrétaire perpétuel de l'Académie des beaux-arts, certainement l'un des musiciens français les plus importants de son époque. Mais celui-ci était sans doute trop occupé (ou trop malade) pour se consacrer à un nouvel opéra.

À sa mort en 1862, le livret passa mystérieusement dans les mains de Léon Carvalho, directeur du Théâtre-Lyrique et protagoniste essentiel du milieu opératique des années 1860. C'est lui qui, en 1863, promut *Les Pêcheurs de perles* de Bizet et *Les Troyens à Carthage* de Berlioz. Sa gestion dictatoriale et excentrique le poussa à accepter de nombreux projets utopiques et à présenter au public de nouveaux compositeurs tout en faisant revivre des classiques du répertoire étranger. N'étant pas soumis aux restrictions de répertoire qui s'appliquaient à l'Opéra et à l'Opéra-Comique, il essaya constamment de piquer la curiosité de ses spectateurs. Sans cesse menacé par la faillite, il offrit malgré tout aux jeunes compositeurs français un espace d'expression, en dépit du mépris avec lequel il traitait artistes et employés. En 1864, *Le Timbre d'argent* faisait encore partie de la collection de livrets non pourvus de Carvalho, lorsqu'Auber, alors directeur du Conservatoire, lui demanda un poème dramatique à offrir à Saint-Saëns en compensation de son infortune au Prix de Rome cette année-là.

Impatient de se faire un nom dans le domaine lyrique, Saint-Saëns accepta immédiatement la proposition, non sans obtenir quelques modifications littéraires de Barbier et Carré. On suppose qu'il fit changer les noms des personnages, car dans un brouillon conservé, les deux protagonistes masculins s'appellent Wolframb et Argur. Wolframb tombe dans l'escarcelle d'Argur, qui change à plusieurs reprises d'apparence et d'identité : d'abord José, puis Malhmann et enfin le Baron de Frohsdorf. Argur confie à Wolframb un talisman magique qui prend la forme d'une petite cloche argentée (le « timbre d'argent »). Celui-ci procure une richesse infinie à qui l'emploie, mais toujours au prix de la vie de quelqu'un. L'histoire s'inspire possiblement de *La Peau de chagrin* de Balzac, roman alors célèbre dans lequel une peau d'âne réalise les vœux du personnage qui la porte au prix du déclin progressif de sa santé.

Saint-Saëns compose la partition en peu de temps. La première modification qu'il y apporte concerne l'air d'Hélène, « Le bonheur est chose légère », à la fin du deuxième acte. La femme de Carvalho – qui occupe l'emploi de première chanteuse dans la troupe de son mari – n'apprécie guère de se voir éclipsée par la danseuse incarnant Fiametta. Les transformations apportées en faveur de la soprano auront le mérite de donner plus de substance à son rôle. Carvalho suggère lui aussi un certain nombre de changements : d'abord faire intervenir deux danseuses plutôt qu'une, ensuite mettre des animaux sur scène afin d'ancrer l'action de l'opéra dans une atmosphère fantasmagorique. Il propose même d'en revenir à la version originale de la pièce de théâtre avec une danseuse et un chœur. On imagine les réticences de Saint-Saëns à accéder à cette dernière requête.

Lorsque les répétitions débutent, en janvier 1868, Carvalho a vent d'une rumeur (qui s'est avérée fausse par la suite) assurant que, dans le *Hamlet* de Thomas alors en répétition à l'Opéra, Christine Nilsson jouerait la mort d'Ophélie sous l'eau. Il persuade immédiatement Saint-Saëns d'incorporer une scène subaquatique dans *Le Timbre d'argent*. *Le Figaro* est donc à même d'annoncer que la production comprendra une chanson napolitaine, une danse accompagnée par une cornemuse fantastique, une valse villageoise, un chœur de mendiants, ainsi qu'un ballet sous l'eau, « c'est-à-dire nagé ».

La production fut annulée : ce ne fut ni la première ni la dernière faillite de Carvalho. Perrin, le directeur de l'Opéra, proposa alors de monter *Le Timbre d'argent* sur sa grande scène, à condition que les dialogues soient mis en musique, concession que Saint-Saëns était disposé à faire. Mais l'offre de Perrin ne se concrétisa pas. Son neveu Camille Du Locle, directeur de l'Opéra-Comique, intervint alors dans le processus et entreprit de monter l'opéra au sein de son institution. Les dialogues furent restaurés, on engagea quelques chanteurs et une danseuse. Mais le déclenchement de la guerre, en septembre 1870, mit fin à ce plan, faisant du *Timbre d'argent* sans doute le seul opéra à avoir été accepté dans les trois principales institutions lyriques parisiennes sans avoir été joué dans aucune...

Une autre compagnie, le Troisième Théâtre Lyrique Français, s'intéressa à l'œuvre en 1875. Mais elle fit faillite aussitôt. Ce fut finalement une cinquième institution, nouvelle mouture du Théâtre-Lyrique, se produisant au théâtre de la Gaîté (ouvert en mai 1876), qui monta *Le Timbre d'argent* en janvier 1877. Saint-Saëns avait de la sympathie pour son gestionnaire, le violoniste Vizentini, mais celui-ci fut obligé de veiller drastiquement à l'économie, si bien que chanteurs et chœur se révélèrent faibles et que le nombre de répétitions fut insuffisant. Comme d'autres avant lui, Vizentini annonça sa banqueroute avant que la billetterie du théâtre n'ait pu subvenir aux dépenses. La série s'arrêta donc après dix-huit représentations. Qu'importe : l'opéra avait enfin été joué sur scène.

Dans sa conception originelle, *Le Timbre d'argent* devait être un opéra-comique en quatre actes avec un prologue et un épilogue, exactement comme les *Contes d'Hoffmann* originels d'Offenbach. Le prologue aurait été constitué de ce qui forme désormais le premier acte. L'épilogue, lui, aurait commencé à partir de l'actuel n° 24 (au moment du retour dans l'atelier de Conrad). Lors des répétitions de l'ouvrage au Théâtre-Lyrique en 1868, l'ouverture devait être jouée entre le prologue et le premier acte. Le ballet aquatique proposée par Carvalho et les récitatifs réclamés par Perrin furent écrits dans les années 1860, bien qu'on ne les incorporât à la partition qu'en 1913.

La version de 1877 déplace l'ouverture dès le début et divise l'opéra en quatre actes, le prologue et l'épilogue étant absorbés au sein du premier et du dernier acte. Certains passages originellement conçus sous forme de dialogues (et imprimés en prose dans le livret) furent transformés en récitatifs. Lors de la révision pour Bruxelles en 1879, les dialogues et les mélodrames (moments parlés sur fond musical) furent conservés, mais de nombreuses révisions eurent lieu, justifiant ainsi la réédition d'une partition chant-piano. Des coupes substantielles furent effectuées dans l'ouverture ainsi qu'à d'autres moments de l'opéra, y compris dans le deuxième couplet de l'air « Le bonheur est chose légère ». Au cours de la dernière scène, la puissante confrontation entre Hélène et Fiametta fut raccourcie, laissant de côté le remarquable échange de chant et de mimes entre la chanteuse et la danseuse pour passer directement au revirement soudain de Conrad. L'illusion d'un dénouement heureux devint impossible à envisager. L'interjection « Il est à moi ! » de Spiridion était désormais chantée plutôt que parlée (ou criée).

En 1894, Saint-Saëns écrit qu'il travaille d'arrache-pied à réviser (encore) son opéra, peut-être pour la prochaine édition à paraître chez Choudens, même si l'on ne dispose d'aucune trace d'une interprétation à cette époque. Dans la perspective d'une reprise de la pièce à l'Opéra-Comique, une nouvelle publication paraît en 1903, sous la double forme d'une réduction pour piano et d'une partition d'orchestre. Finalement, la production n'aura pas lieu, mais l'opéra sera joué en Allemagne : à Elberfeld en février 1904, à Berlin en janvier 1905, puis à Cologne. Choudens en profite pour publier une traduction allemande du chant-piano. « J'ai restauré certains détails qui avaient été enlevés sans mon approbation et j'en ai retranché d'autres qui ne me plaisaient plus guère », écrit Saint-Saëns. Il réintroduit des éléments retirés de l'ouverture, mais conserve d'autres suppressions. De nombreuses biffures datant de 1879 sont restaurées. Les deux retraits principaux concernent trente-cinq mesures du n° 7 – correspondant aux fanfaronnades de Spiridion avant la scène du jeu – ainsi que le n° 14 dans son entier, le *Duo* entre Hélène et Rosa, ce qui est regrettable étant donné le rôle déjà minime confié à cette dernière.

Ainsi remanié, le *Timbre* sera représenté à trois reprises à Monte-Carlo. Marguerite Carré, la belle-fille du librettiste, incarne Hélène tandis que le rôle de Rosa est tenu par Maggie Teyte. Mais un dernier remodelage de la pièce allait encore être imposé. En 1913, Saint-Saëns se remet à pied d'œuvre, à la suite d'une proposition de La Monnaie à Bruxelles de produire la pièce comme un opéra intégralement chanté (les dialogues, déjà impopulaires auprès des chanteurs, étant de moins en moins goûtés des spectateurs). On conserva toutefois une interjection déclamée pour l'avertissement crié par Spiridion à l'acte III, lorsque Conrad tient entre ses mains le timbre d'argent. Saint-Saëns se remet donc à cette tâche déjà amorcée dans les années 1860 : la transformation de tous les dialogues en récitatifs, mais aussi la réécriture de la scène aquatique, qui lui avait semblé tellement artificielle lorsqu'on la lui avait suggérée. Pour la versification, il bénéficie de l'aide du fils Barbier, Pierre. Il prévoit également de réorchestrer une grande partie de la musique. Les représentations eurent lieu en mars 1914, et Choudens fit paraître une partition définitive pour voix et piano.

Le retrait des dialogues modifie en profondeur la nature de cet ouvrage, qui s'était toujours apparenté à un pot-pourri de différentes techniques théâtrales plutôt qu'à un opéra au sens pur. Les récitatifs ne manquent pas d'habileté et n'hésitent pas à verser parfois dans le lyrisme. La scène aquatique présente un défi intéressant pour la mise en scène, au même titre que toutes les transformations sur le plateau qui se déroulent « à vue ». Des récitatifs supplémentaires se révèlent nécessaires après la première chanson de Bénédict, au cours desquels Conrad développe avec ardeur le thème du portrait, emporté par ses désirs pour son modèle Fiametta, passage formidable et bien mieux traité ainsi que sous sa forme déclamée initiale. Le motif du timbre fait également son apparition lorsque Conrad demande à Bénédict de payer le médecin abhorré, non pas avec son dernier florin (comme dans la version dialoguée), mais avec un timbre d'argent que son père lui a transmis sur son lit de mort. C'est pourquoi Spiridion rapporte plus tard ce timbre à Conrad, doté de propriétés magiques qu'il avait peut-être toujours possédées, son père ayant pu provoquer sa propre mort en le faisant tinter.

À l'acte II, un long récitatif précède la « Romance » avec violon obligé de Bénédict (n° 8). L'esprit de Conrad s'échauffe à mesure que son ami évoque la maison de campagne où Rosa et lui doivent se marier (maison qui fournira le cadre de l'acte III). La nouvelle scène au début de l'acte IV se déroule au clair de lune, près d'un lac. Cherchant à retrouver le timbre d'argent qu'il a jeté à l'eau, Conrad est interpellé par un groupe de Sirènes qui le provoquent dans un chœur préfigurant la « Ballade » de Spiridion (« Sur le sable brille »), que le public n'a toujours pas entendue et qui déclinera également le leitmotiv du timbre. Attiré par leurs appâts, Conrad s'apprête à plonger dans les profondeurs du lac lorsqu'il recouvre ses sens et s'enfuit. Saint-Saëns était parfaitement conscient des ressemblances étroites entre ce tableau et la scène d'exposition de *L'Or du Rhin*, mais il l'avait écrit avant d'avoir entendu l'opéra de Wagner, et, en 1913, nul doute qu'il ne craignait plus la compétition. Il redoutait toutefois qu'un autre changement de scène requière un entracte, car, de fait, la musique ne connaît aucune interruption jusqu'au retour du « Carnaval ! », motif sur lequel la partition s'attarde avant que le rideau ne se lève. La fin conserve la version abrégée pour les premières représentations bruxelloises de 1879. Les trois représentations de 1914 à Bruxelles rencontrent un vif succès et sont une grande source de satisfaction pour Saint-Saëns, qui rédige une brochure à propos de son œuvre, destinée à éclairer le public sur ses intentions.

Si *Le Timbre d'argent* a été constamment remodelé par d'incessantes révisions, ce n'est pas sans ironie qu'on soulignera que la « transformation » est elle-même un thème central du livret. Cette obsession pour l'anthropomorphisme se retrouve dans de nombreux libretti signés par Barbier et Carré, qui aimèrent à s'inspirer des *Métamorphoses* d'Ovide pour imaginer, entre autres, des peintures s'éveillant à la vie, des humains transformés en animaux ou des talismans magiques. Le motif classique de l'artiste s'éprenant de son œuvre, comme Conrad dans ce *Timbre d'argent*, est un écho volontaire à l'histoire de Pygmalion et Galatée, d'ailleurs adaptée en livret par Barbier et Carré en 1852, tandis qu'ils rédigent leur première version du *Timbre d'argent*. Mis en musique par Victor Massé, *Galatée* sera l'un de ses plus grands succès. Dans le *Timbre*, Spiridion prend tour à tour les traits d'un médecin de la *Commedia dell'arte*, du marquis de Polycastro, de Pippo le cocher, d'un chanteur italien et du diable en personne. Il est en tout point similaire au conseiller d'Hoffmann, Lindorf, qui réapparaît sous les identités de Coppélius, du docteur Miracle et du capitaine Dapertutto. Quant à Fiametta, le modèle, et son *alter ego* Circé, on peut y voir une autre déclinaison de cette personnalité transmutable incarnée par Stella-Olympia-Antonia-Giulietta dans *Les Contes d'Hoffmann*.

Barbier et Carré aimaient à transformer le lieu de l'action autant que leurs personnages. Dans l'une de leurs pièces de jeunesse, *Les Marionnettes du docteur* (1851), on retrouve cette figure du savant manipulant ses victimes (cette fois-ci les hôtes de sa maison de campagne) par le biais de marionnettes qui rejouent leurs fantasmes et leurs peurs. L'avant-scène de la salle d'opéra se confond alors avec la devanture d'un théâtre de marionnettes. *Le Timbre d'argent* est de toutes leurs pièces celle qui nécessite le plus grand nombre de changements de décor. À l'acte I, l'atelier de Conrad se métamorphose en un paysage où évoluent des groupes de nymphes avant de revenir à son aspect premier. À l'acte II, le premier tableau montre la loge de Fiametta, au théâtre, avant qu'un changement de décor ne donne à voir la scène du théâtre elle-même, vue de derrière. Le tableau se change ensuite en un banquet, avant de se transfigurer en palais florentin. Le troisième acte se déroule devant une maison de campagne tandis que le quatrième commence sous l'eau (dans la version définitive) pour déboucher sur une scène de rue et revenir à l'atelier de Conrad de l'acte I. Ces métamorphoses sont une gageure pour les régisseurs de théâtre. De fait, cette conception scénique pour le moins ambitieuse explique sûrement l'absence de représentation de la pièce de théâtre originale.

La difficulté de sa mise en scène ainsi que toutes ses versions successives font du *Timbre d'argent* l'opéra le plus fascinant de Saint-Saëns. Les représentations bruxelloises de 1914 furent la dernière occasion pour l'auteur, mais également pour le public, d'apprécier cet opéra jusqu'à sa présente renaissance, attendue depuis bien longtemps. Les seules parties que l'on a pu en entendre au cours des cent dernières années sont les deux ravissants airs « Demande à l'oiseau qui s'éveille » et « Le bonheur est chose légère » qui ont connu un certain succès dans leurs interprétations par des chanteurs célèbres.

« Chœur des mendiants » transcrit pour piano par l'auteur.
Collection particulière.

The composer's piano transcription of the Chorus of Beggars.
Private collection.

La genèse du *Timbre d'argent*

Marie-Gabrielle Soret

Au sein de la production lyrique de Camille Saint-Saëns, *Le Timbre d'argent* occupe une place à part et mérite que l'on y prête une attention toute particulière. C'est une œuvre aujourd'hui bien oubliée, mais de multiples raisons incitent cependant à en plaider la cause et à se féliciter de sa résurrection. Déjà du vivant de l'auteur, le mauvais sort s'est acharné sur cet ouvrage, car sa genèse compliquée et un parcours semé d'embûches étaient venus en perturber la création et la réception. Ces péripéties en tous genres illustraient à la fois les difficultés rencontrées par les jeunes auteurs lorsqu'ils tentaient de timides innovations, et l'accès difficile à la scène lyrique pour cette nouvelle génération de musiciens active à la période charnière située entre le Second Empire et la Troisième République.

Le Timbre d'argent a, dès l'origine, été considéré par ses contemporains comme une œuvre atypique, tant elle a subi de mutations, de changements de genre et de lieu, avant et encore après sa création en 1877. Comme le dit le critique musical Adolphe Jullien :

> Jamais opéra ne subit plus de transformations, ne rencontra plus d'entraves, ne fut essayé par plus de compositeurs et offert à plus de théâtres que ce malheureux *Timbre d'argent*.

Pour mieux comprendre les circonstances qui entourent son élaboration, il convient de se situer treize années en amont. En 1864, Saint-Saëns a vingt-huit ans et sa carrière de virtuose (pianiste et organiste) est en plein essor. La liste de ses œuvres est déjà longue et sa réputation de compositeur « avancé » ne cesse de grandir. Cependant, il lui manque encore d'avoir fait ses preuves sur la scène lyrique, et il veut absolument y accéder. Composer un opéra et le voir bien accueilli – notamment sur la scène de l'Opéra de Paris – est une étape capitale pour se faire reconnaître comme compositeur à part entière et dépasser la réputation de « pianiste-compositeur ». Mais cette reconnaissance est bien difficile à acquérir lorsque, comme lui, on n'est pas lauréat du prix de Rome.

Saint-Saëns avait déjà concouru une première fois en 1852 pour obtenir ce sésame, mais, âgé de seulement seize ans, le jury l'avait trouvé trop jeune. En 1864, il fait une deuxième tentative, mais cette fois on ne lui donna pas non plus le prix sous prétexte qu'il était trop âgé... et qu'il n'en avait pas besoin. Cependant, Auber qui faisait partie du jury et qui avait accordé sa voix à Saint-Saëns, trouva l'échec particulièrement injuste ; et comme « lot de consolation » pour le malheureux candidat, demanda au directeur du Théâtre-Lyrique, Léon Carvalho, un livret d'opéra-comique que celui-ci avait en réserve, et lui fit promettre de monter l'œuvre qui serait composée sur ce livret. C'était une façon de contourner les institutions et de donner enfin sa chance au musicien. Saint-Saëns sera toujours reconnaissant à Auber de cette généreuse initiative.

Ce cadeau n'en est pas tout à fait un, car ce livret du *Timbre d'argent*, bien que produit par deux librettistes connus, Jules Barbier et Michel Carré, n'est pas sans défauts. Il avait déjà été proposé... et refusé par trois compositeurs : Xavier Boisselot, Henri Litolff et Charles Gounod, et l'on disait que cela faisait déjà dix bonnes années que « comme au jeu du furet, [il] courait de main en main et de pupitre en piano », mais Saint-Saëns relève cependant le défi. Il demande d'importants aménagements du texte que Barbier et Carré lui accordent facilement, et il écrit une partition en cinq actes, très rapidement, en deux mois. Ensuite, ... il ne se passe rien. Léon Carvalho mettra deux années avant de consentir à entendre la partition. Après l'audition, il se déclare tout à fait séduit par la musique et décide de la mettre à l'étude le plus tôt possible. Mais, selon Saint-Saëns, il avait la « manie » d'intervenir dans les ouvrages qu'il faisait représenter. Il voulut ainsi contraindre le compositeur à mettre des animaux féroces sur scène, à couper toute la musique pour ne laisser que les chœurs et la danse, puis à introduire un premier rôle que l'on attribuerait à son épouse, la cantatrice Marie-Caroline Carvalho. Or, dans le livret du *Timbre d'argent*, le premier rôle est attribué à une danseuse et c'est un rôle muet, et le second rôle dévolu à la chanteuse, celui d'Hélène, est assez effacé. Carvalho voulait aussi faire installer un aquarium sur scène, dans lequel la cantatrice devait plonger pour aller rechercher le timbre. Saint-Saëns avoue son accablement face à toutes les fantaisies imaginées par le directeur : « La pièce, sauf le prologue et l'épilogue, se passant dans un rêve, il s'en autorisait pour inventer les combinaisons les plus bizarres. » Deux autres années se passèrent dans « ces niaiseries ».

Le bruit se répand peu à peu dans le monde musical que Saint-Saëns travaille à un ouvrage pour la scène. Georges Bizet, qui venait de réaliser le piano-chant du *Timbre d'argent* pour les éditions Choudens, est sous le charme, ainsi qu'il le confie à son ami Ernest Guiraud :

> Je viens de réduire le *Timbre d'argent* ; c'est de l'Auber de la comète ! – C'est charmant ! du vrai opéra-comique un peu saupoudré de Verdi. Quelle fantaisie ! quelles mélodies géniales ! – De Wagner, de Berlioz, rien ! rien ! rien ! – Ce Saint-Saëns se f... iche de nous avec ses opinions. – Tu seras épaté ! – Deux ou trois morceaux sont un peu canailles d'idée, mais c'est très en situation, et puis c'est sauvé par l'immense talent du musicien. C'est une vraie œuvre et c'est un vrai homme, celui-là !

Enfin, Carvalho finit par renoncer à faire chanter sa femme, le rôle d'Hélène est confié à Mlle Schroeder et les répétitions commencent au

Théâtre-Lyrique, en janvier 1868. Elles sont interrompues... par la mise en faillite du théâtre et le départ du directeur.

Peu de temps après, Émile Perrin, à la tête de l'Opéra, demande *Le Timbre d'argent* pour la grande scène lyrique. Mais l'adaptation de l'ouvrage à d'autres dimensions obligeait à d'importantes modifications ; il fallait notamment transformer tout le dialogue en récitatif et en musique. Les auteurs se remettent donc à l'œuvre, Perrin demandant aussi des adaptations de certains rôles. Les relations entre directeur et auteurs vont alors se compliquer, et le musicien et les librettistes comprennent assez vite que s'amenuisent les chances de voir un jour leur ouvrage représenté dans ce lieu.

Entretemps, la direction de l'Opéra-Comique échoit à Camille Du Locle et celui-ci obtient de Perrin qu'il lui cède *Le Timbre d'argent*. L'ouvrage, conçu à l'origine comme un opéra-comique, puis réaménagé en opéra, va alors être retransformé en opéra-comique. Il ne s'agit pas de deux versions coexistantes – l'une avec des dialogues parlés et l'autre entièrement chantée – mais bien d'une modification de la même version. La pièce subit donc de nouveaux avatars, et quelques mois se passent encore à remodifier le livret. Saint-Saëns racontera dans un article publié en 1911 :

> On se croyait près du but. Du Locle avait découvert en Italie une danseuse ravissante sur laquelle il comptait beaucoup ; mais, hélas ! cette danseuse n'en était pas une : c'était une *mime* ; elle ne dansait pas. [...] Enfin, on engage en Italie une vraie danseuse ; rien ne paraissait plus s'opposer à l'apparition de ce malheureux *Timbre*. « C'est invraisemblable, disais-je, il arrivera quelque catastrophe pour se mettre en travers. » Il arriva la guerre [de 1870].

L'essor du *Timbre d'argent* se trouve donc arrêté par les bouleversements politiques, liés à la chute du Second Empire et à l'installation du nouveau régime. Du Locle finit par se désintéresser du *Timbre d'argent* et, n'ayant pu trouver la danseuse et un corps de ballet convenables, renonce à le monter. Entretemps, Saint-Saëns avait proposé l'œuvre à Stoumon, directeur de la Monnaie de Bruxelles, mais sans succès. Vient ensuite la déconfiture de l'Opéra-Comique que le directeur quitte pour raison de santé et en proie à de grandes difficultés financières. Treize années après la commande initiale, Saint-Saëns se retrouve donc au point de départ, auteur d'une partition transformée plusieurs fois, dont finalement personne ne veut.

Cependant, le Théâtre-Lyrique est repris par Albert Vizentini, et le ministère des Beaux-Arts, s'intéressant aux malheurs de l'auteur, donne une petite subvention au nouveau directeur pour faire représenter l'ouvrage. *Le Timbre d'argent* change donc une nouvelle fois de théâtre et entre enfin en répétitions, dans des conditions fort peu favorables, ainsi que Saint-Saëns le racontera lui-même en 1911 :

> J'arrivais là comme le doigt entre l'arbre et l'écorce et j'en vis bientôt les inconvénients. Ce fut d'abord la chasse à la chanteuse, la chasse au ténor ; on en essaya plusieurs sans succès. [...] Chaque jour amenait de nouvelles tracasseries : on faisait des coupures malgré ma volonté ; on me laissait en butte aux révoltes, aux grossièretés même du metteur en scène et du maître de ballet, qui ne supportaient pas de moi la plus timide observation. Pour avoir quelques instruments dans la coulisse, je dus en payer les frais. Des jeux de scène que je demandais pour le prologue furent déclarés impossibles. De plus, l'orchestre était très médiocre ; il fallait faire de nombreuses répétitions qui ne me furent pas refusées, mais on en profitait pour répandre dans le public l'opinion que ma musique était inexécutable.

Les tribulations du *Timbre d'argent* avaient été suivies par la presse pendant toutes ces années d'atermoiements et les journalistes témoignaient des mutilations de la partition et du livret, et des humiliations que Saint-Saëns devait subir, au point « qu'il en pleurait dans les coulisses ». L'ouvrage était devenu « légendaire », et à vrai dire on n'y croyait plus, tant on avait annoncé son arrivée, son report, ses modifications. Arnold Mortier du *Figaro* rapporte même : « qu'on s'y intéressait comme à un invalide, si bien qu'en parlant de l'opéra de Saint-Saëns on disait parfois : Le *Timbre* au nez d'argent ! ». À l'annonce de la mise en répétition, les échos de presse se font plus rapprochés, mais ne sont pas des plus bienveillants. On disait que les rôles avaient été successivement distribués « à tout ce que Paris compte d'artistes marquants » et que certains choristes ayant suivi l'œuvre dans toutes ses pérégrinations avaient dû travailler quatre fois leur partition qui, de plus, « ne pouvait entrer dans la gorge étroite des ténors ou dans la mémoire des barytons ». On disait aussi que :

> Les pages de M. CSS seraient le cimetière des voix qui se risqueraient à les conquérir ; elles étaient les sables mouvants du Mont-Saint-Michel de la musique. [...] Puis était venu le tour de l'orchestre. À la 15e répétition, les maîtres instrumentistes que dirige M. Danbé se perdaient encore dans le dédale des rythmes et des harmonies, à la poursuite de sonneries qui les fuyaient.

Mais, ainsi qu'en témoigne Louis de Fourcaud dans *Le Gaulois*, « ces bruits, à vrai dire, n'étaient point faits pour refroidir la curiosité. Aussi s'échauffait-elle de plus en plus à mesure qu'on approchait de la date annoncée pour cette révélation prétendue impossible. J'ai rarement vu couloirs plus animés que ceux du Théâtre-Lyrique avant le lever du rideau [...]. C'était un incroyable va-et-vient de conversations, un chassé-croisé d'ironies et d'enthousiasmes avant la lettre. »

Le Timbre d'argent est enfin créé au Théâtre national lyrique le 23 février 1877, sous sa quatrième mouture. La partition annonce un « drame lyrique en 4 actes », et le livret un « opéra fantastique en 4 actes et 8 tableaux ». Le sujet n'est en lui-même ni très original, ni très compliqué, et le fil conducteur – dans la même veine que celui de *Faust*, et de la plume des mêmes librettistes – est déjà connu. Outre un personnage central, Conrad – assez peu sympathique et prêt à tout sacrifier, même la vie de ses proches, pour obtenir l'or qui va servir à conquérir la danseuse dont il est épris –, le livret met aussi en scène un rôle principal « muet » et dansé, celui de Fiametta ; deux rôles d'hommes assez présents : Spiridion (rôle à métamorphoses)

et Bénédict l'ami de Conrad ; deux personnages de femmes plus effacés : Hélène (la fiancée de Conrad, délaissée pour Fiametta) et sa sœur Rosa (fiancée de Bénédict).

L'alternance entre rêve et réalité que propose le livret se prête bien à la mise en scène en offrant une grande diversité de tableaux, et en permettant ainsi le déploiement de machineries théâtrales, la multiplication des costumes et des décors, dont deux firent sensation lors de la création : l'un représentait la salle de l'Opéra de Vienne vue de la scène par les spectateurs, comme dans un jeu de miroir ; l'autre était l'intérieur d'un riche palais florentin où une table magnifiquement dressée et éclairée sortait de terre comme par magie.

Le Tout-Paris musical se presse à la première et l'on y remarque notamment Gounod qui donne le signal des applaudissements, et Massenet dont la chaleureuse lettre de félicitations à l'auteur est reproduite dans la presse : « Vous êtes notre maître à tous et vous le prouvez encore d'une façon éclatante. » La réception de l'œuvre suscite une abondante littérature puisque l'on ne relève pas moins de soixante-dix articles publiés dans la presse entre le 26 février et le 6 mars 1877.

Si les critiques sont unanimes à louer le luxe de la mise en scène sur laquelle la direction du Théâtre-Lyrique n'a pas lésiné, tous s'accordent aussi à reconnaître que la distribution n'était pas à la hauteur de la partition et laissait beaucoup à désirer : seuls le baryton Léon Melchissédec, qui incarne le rôle de Spiridion, et le ténor Caisso, qui chante celui de Bénédict, sont distingués. Le ténor Blum a été insuffisant dans le rôle de Conrad, tout comme les deux femmes dont les voix n'ont pas séduit. De plus, le rôle d'Hélène, écrit pour un soprano, était interprété par une mezzo débutante, Caroline Salla, mal assurée dans cette tessiture. On en a bien sûr conclu que Saint-Saëns ne savait pas écrire pour les voix. En revanche, la prestation de la danseuse, Adeline Théodore a remporté un grand succès. L'orchestre dirigé par Jules Danbé s'attire aussi des éloges pour être venu à bout de cette « difficile partition ». Quant au livret, les critiques sont plutôt favorables, mais elles relèvent que les passages entre rêve et réalité n'ont pas toujours été bien suivis du public.

Les avis divergent cependant beaucoup dans l'appréciation de la musique elle-même. Certains notent qu'elle a été composée il y a déjà treize ans et que la manière de l'auteur a évolué depuis. D'autres voient dans la partition du Gounod, du Auber, du Weber, du Beethoven ou du Wagner. Certains y entendent des mélodies, ce qui suscite des commentaires sarcastiques puisque Saint-Saëns, classé parmi les « algébristes » et les « harmonistes », était supposé a priori incapable d'en produire. D'autres n'entendent rien, et accusent l'auteur de noyer les voix dans un brouillard confus.

On peut alors se demander si l'œuvre était perçue comme à ce point moderne, étrange, divergente, pour être finalement si dérangeante ? Saint-Saëns avait imaginé d'adapter son orchestre aux situations et cette idée a en tout cas été mal comprise. Par exemple, dans la première scène, qui se déroule dans l'atelier du peintre, Conrad est malade, fiévreux et il entend du dehors un chœur de Carnaval dont le bruit lui est insupportable. Saint-Saëns a intentionnellement composé une musique désagréable, un chœur de mauvais goût et mal prosodié, afin de traduire musicalement le délire de Conrad, et rendre ainsi une musique déformée par la fièvre ; mais le public n'a pas perçu cette subtilité et n'a entendu qu'un chœur mal écrit.

La véritable ambition de Saint-Saëns à travers l'élaboration de cette partition n'était rien moins que de faire évoluer, de remodeler la forme même de l'opéra-comique. Estimant que son œuvre avait été mal reçue, il a jugé nécessaire de s'expliquer sur ses intentions et l'a fait dans trois textes publiés en 1879 (dans *La Nouvelle Revue*), en 1911 (dans *L'Écho de Paris*) puis dans une brochure éditée en 1914 par Choudens et fils, pour la reprise de l'œuvre dans une version remaniée, au Théâtre de la Monnaie à Bruxelles.

[...] cet ouvrage, qui était alors un opéra-comique mêlé de dialogue, apparaissait néanmoins comme une œuvre révolutionnaire et prodigieusement « avancée ». En ce temps-là [en 1864], les opéras n'étaient pas divisés en scènes, mais en « morceaux », presque tous coulés dans le même moule que les musiciens adoptaient docilement. L'auteur du *Timbre d'argent*, qui, bien avant de connaître les œuvres de Richard Wagner, rêvait d'opéras divisés en scènes de formes variées et non pas en morceaux de coupe uniforme, avait brisé les moules que ses librettistes lui avaient donnés, et construit ses morceaux avec une entière liberté. Ajoutez à cela le rôle considérable attribué à l'orchestre, les motifs caractéristiques circulant dans toute l'œuvre comme le sang dans les veines et se transformant suivant les circonstances, et vous ne vous étonnerez pas que l'auteur passât pour dangereux et même pour « wagnérien », ce qui était alors presque une injure.

Pour son début officiel sur la scène lyrique avec un ouvrage d'envergure, l'apparition du *Timbre d'argent* représentait pour Saint-Saëns un enjeu considérable. Rappelons que *Samson et Dalila* était déjà écrit depuis plusieurs années et qu'aucun directeur ne voulait le produire (ce n'est que grâce au soutien de Franz Liszt que l'ouvrage sera créé, à Weimar, le 2 décembre 1877). Si *Le Timbre d'argent* était manqué, les théâtres auraient été inaccessibles à Saint-Saëns sans doute encore pour bien longtemps, et c'est la raison pour laquelle il s'est vraiment attaché à cette partition. Ce livret n'était pas idéal, mais la diversité des situations qu'il mettait en jeu permettait au musicien de faire étalage de tout son savoir-faire. *Le Timbre d'argent* devait ainsi lui servir de champ d'expériences. Saint-Saëns avait des idées sur l'art lyrique, des idées de nouveautés, et il voulait les appliquer précisément dans cet ouvrage, pour faire ses preuves, pour démontrer qu'un interprète peut aussi être compositeur, et qu'un compositeur « symphoniste » peut aussi écrire pour le théâtre. C'était un coup d'essai, et il fallait que ce soit un coup de maître. Il vécut difficilement ces treize années de préparation, contrariées par les caprices des directeurs, par les faillites des théâtres, par la mauvaise volonté des chanteurs, par les événements politiques, et pour finir par une critique bien souvent mal disposée à son égard, tant au plan esthétique qu'au plan politique, et profitant de l'occasion pour lui faire directement payer à la fois son admiration pour l'œuvre de Wagner – dont il est à l'époque un farouche partisan –, et indirectement ses sympathies républicaines.

L'œuvre sera donnée dix-huit fois au Théâtre-Lyrique, puis elle connaî-
tra des fortunes diverses. Reprise en 1879 au Théâtre de la Monnaie pour
vingt représentations, elle aurait dû l'être au Théâtre-Italien de
Saint-Pétersbourg où Albert Vizentini avait dans l'idée de l'y produire.
Saint-Saëns lui écrit ainsi le 12 novembre 1880 : « Vous me demandez de
refaire encore le *Timbre d'argent*. Savez-vous bien que ce sera la sixième
version ? Ce n'est plus un opéra, c'est un cauchemar. Enfin ! je ne dis
pas non. J'ai des cartons pleins de musique faite pour ce maudit ouvrage,
nous arrangerons cela à votre idée. »

Mais il faudra attendre 1904-1905, pour voir réapparaître l'opéra en
Allemagne dans une version remaniée. Puis à Monte-Carlo en 1907, pour
trois représentations, dans une version amputée d'un acte, mais avec une
très belle distribution. *Le Ménestrel* relève alors le vif succès obtenu par
« une fort remarquable partition dont la première représentation à Paris
remonte à quelque trente ans et dont les musiciens ne s'étaient jamais
expliqué l'abandon ». La dernière représentation du vivant de l'auteur est
donnée à Bruxelles, en mars 1914. Saint-Saëns tenait beaucoup à voir son
œuvre ressusciter sous une forme qui pourrait ainsi mieux assurer sa
postérité, puisque cinquante ans après le début de l'écriture de la partition, il y travaille encore. En préambule à cette nouvelle version avec récitatifs, il avertit l'auditeur que l'ouvrage a été entièrement remanié, qu'il
a supprimé quelques passages et ajouté beaucoup de musique. *Le Timbre
d'argent* a changé une nouvelle fois d'aspect, et d'opéra-comique est
devenu un grand opéra :

> Il y a de tout dans cet ouvrage, qui va de la Symphonie à l'Opérette en pas-
> sant par le Drame Lyrique et le Ballet. L'auteur s'est efforcé néanmoins de
> lui donner une certaine unité : le public seul pourra juger s'il y a réussi.

———

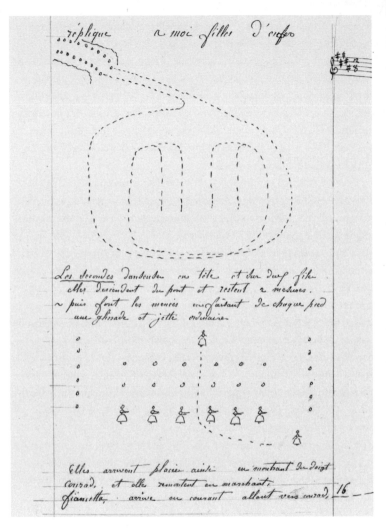

Détails du livret de mise en scène concernant la danseuse Fiametta.
Bibliothèque nationale de France.

Details from the staging manual concerning the dancer Fiametta.
Bibliothèque Nationale de France, Paris.

Bien plus qu'un galop d'essai...

Gérard Condé

L'erreur serait sans doute d'attendre de la partition du *Timbre d'argent*, galop d'essai de Camille Saint-Saëns dans le domaine du théâtre lyrique, qu'elle offre le visage d'une œuvre voulue, mûrie et fixée sur le papier sans souci du gros public rebelle, par définition, aux plaisirs délicats. La vérité est tout autre, on l'apprendra par ailleurs et Saint-Saëns a lui-même détaillé les péripéties qui se sont succédé depuis la commande, en 1864, jusqu'à la création, au Théâtre national lyrique le 23 février 1877.

On ne cherchera pas à démêler ce qu'a gagné ou perdu l'imbroglio fantaisiste entrepris comme un pied de nez à l'académisme et au prix de Rome injustement refusé, à devenir un drame lyrique *fantasticonirique* au fil de ses métamorphoses. Le premier état n'existe plus, sauf à travers la réduction pour chant et piano et nous n'entendrons que ce qui a trouvé grâce aux exigences d'un créateur-censeur de quatre-vingts ans. Et quel censeur ! Car, dans son activité de compositeur lyrique, Saint-Saëns semble avoir éprouvé une sorte de fierté condescendante à accéder aux exigences les plus antipathiques à son style. Une tâche dont il s'acquitte sans vergogne, considérant que « l'opéra est à la Musique ce que les lupanars sont à l'Amour » pour reprendre l'expression de son maître et ami, Hector Berlioz.

D'une façon générale, d'ailleurs, Saint-Saëns, faux académiste, aime les conventions, lieu idéal pour faire valoir son originalité, voire sa supériorité. Il excelle aussi dans les pièces de genre telle la paysannerie dansée (à l'acte III) avec hautbois principal sur une pédale au rythme obstiné, comble du lieu commun assumé. Il met plus de finesse dans les pastiches :

« Le bonheur est chose légère » en est un. Le titre « Romance » ne ment pas, mais, déjà démodé jusqu'à la provocation dans les années 1860-1870, il sera maintenu dans la dernière édition où l'œuvre se voit pourtant divisée en scènes et non plus en numéros, concession opportuniste de Saint-Saëns au wagnérisme régnant sous couvert de renouer avec le découpage des opéras de Lully et Rameau.

Lors de la création, en 1877, cette romance en *sol* majeur avec un milieu en *sol* mineur (A-B-A') respectait les conventions du genre avec seulement des coquetteries harmoniques inconnues de Monsigny ou de Dalayrac. Le modèle serait plutôt à chercher chez Rameau, Campra ou Destouches... qui n'écrivaient pas de romances, mais des « airs tendres » (la didascalie « Tendrement » y renvoie sans doute). Pour les reprises ultérieures, Saint-Saëns ajouta un second « milieu » (B') et modifia la dernière reprise (A"), et la feinte romance devint un quasi « air en rondeau » (A-B-A'-B'-A") : un pas de plus vers le « style rétrospectif » comme on disait alors, confirmé par l'ajout, pour A" de quelques ornements de la ligne vocale selon l'usage ancien des reprises variées. La présence d'un violoniste sur scène n'était pas rare au théâtre (et toujours touchante selon George Sand) ; en revanche à l'opéra, on n'avait jamais dû voir l'orchestre se taire si longtemps !

On pourrait multiplier les exemples, car le purisme déclaré du compositeur de la *Danse macabre* et du *Carnaval des animaux* est nourri d'une intime connaissance des ressources de l'impureté. Déclarant à l'adresse des amateurs d'expression : « l'art c'est la forme. [...] L'artiste qui ne se sent pas pleinement satisfait par des lignes élégantes, des couleurs harmonieuses, une belle série d'accords ne comprend pas l'art. » Il avait, de la même plume, défendu le principe des poèmes symphoniques de Liszt : « Je vois bien ce que l'art y gagne ; il m'est impossible de voir ce qu'il y perd. » Trouverions-nous des défauts au *Timbre d'argent*, soyons sûrs qu'il les a vus le premier, mais qu'il les a cautionnés, signés, relus et approuvés !

Saint-Saëns a même dû y glisser quelques clins d'œil à Auber qui lui a procuré la commande pour compenser son inqualifiable éviction du prix de Rome : le *Pas de l'abeille* par exemple où les trémolos sur le chevalet, un peu grinçants, d'un alto solo imitent explicitement le bourdonnement de l'insecte ; mais aussi la vivacité du ton et une distanciation ludique. Enfin – même si on ignore la destination première du livret, s'il a été choisi à dessein par Auber et si le compositeur se l'est vu proposer ou imposer – le rôle muet de Fiametta ne conviendrait-il pas aux interprètes de Fenella dans *La Muette de Portici* ? Comme Auber dans cette œuvre consacrée, Saint-Saëns fait « parler » les instruments pour qu'ils inspirent les mouvements d'une pantomime en concordance avec le texte qui ne sera pas prononcé : « Je t'aime ! je t'aime ! non ! ce n'est pas un rêve et je ne te mens pas ! Je t'aime, viens, et partons ! » Sur de caressants arpèges de harpe, les violons filent une longue mélodie qui tourne et retourne voluptueusement sur elle-même. Inexpressif, Saint-Saëns ? Certes, quand il le veut bien...

Si, dans *Le Timbre d'argent* tout n'a pas la même valeur, ni la même nécessité que dans *Samson et Dalila* ou dans *Henry VIII*, la partition contient assez de pages remarquables ou inspirées pour ne pas laisser faiblir l'attention : la tendre « Mélodie » de Bénédict « Demande à l'oiseau » ; l'air agité de Conrad « Dans le silence et l'ombre », si original jusqu'à son accompagnement de cordes avec sourdines (y compris pour le *forte* « À vous, Rois de la terre » où l'on attendrait plutôt les trombones !) ; la cavatine de Conrad « Nature souriante » et son duo qui suit avec Hélène, d'une vivacité charmante, délicieusement écrit comme avec la pointe d'une aiguille ; la valse et la « Ballade » de Spiridion « Sur le sable brille ».

On pourrait citer d'autres pages (l'entracte qui précède le second lever de rideau confié aux seuls bois – comme dans le prélude des *Troyens* de Berlioz – rehaussés d'une harpe) ou de simples passages, mais, pour incomplète qu'elle soit, cette sélection s'adresse seulement aux mélomanes capables d'embrasser un spectre esthétique assez large, car, comme l'avouait Saint-Saëns lors de la création de la version remaniée à La Monnaie de Bruxelles en 1914 : « Il y a de tout dans cet ouvrage, qui va de la Symphonie à l'Opérette en passant par le Drame lyrique et le Ballet. »

En mettant en avant la dimension symphonique du *Timbre d'argent* – tandis qu'il devait encore s'en défendre en 1877 quand il semblait établi qu'un « symphoniste » ne pouvait pas écrire valablement pour la scène lyrique –, Saint-Saëns prend une revanche bien méritée et se place dans le sens du vent qui souffle depuis Bayreuth. En disant « Symphonie », il fait sans doute allusion à l'ouverture. Dans son état originel, en 1877, elle s'identifiait à une suite de valses (l'action se passe à Vienne !), de caractères, de couleurs et de tonalités différents, davantage qu'à la forme sonate que la progression tonale et thématique laissait pressentir. Après la création, Saint-Saëns réalisa qu'il n'avait pas assez tiré parti d'un motif de transition un peu dégingandé et il ajouta un développement où l'affrontement des thèmes ajoute cette vie qui manquait à leur succession de valses bien ordonnée. Mais il se garda de pétrifier par une réexposition régulière cette page brillante et alerte qu'une coda imprévisible vient clore sans crier gare.

On peine à suivre Saint-Saëns, en revanche, quand, dans le même texte, il met l'accent sur « les motifs caractéristiques circulant dans toute l'œuvre comme le sang dans les veines et se transformant selon les circonstances ». Ce vain souci de se présenter en compositeur moderne frise l'imposture. Car les thèmes les plus saillants, ceux du *Tableau* et de *Fiametta* (entendus dès l'ouverture), de *Circé* ou du *Timbre* et ceux des *Rêveries* ou de *Colère* de Conrad s'inscrivent dans la tradition très française des motifs de rappel, introduits au gré des circonstances, plutôt que dans la catégorie des *Leitmotive* dont se nourrit le tissu symphonique. Il est vrai que les récits, composés après coup pour remplacer les dialogues, sont agrémentés de citations plus ou moins saillantes des quelques-uns des motifs que l'on vient de citer ou en ajoutent comme celui du *Diadème* qu'on pourrait appeler de façon plus large *L'Amour du luxe* – « l'amour » à cause de la sensualité mélodique du motif et le « luxe » conçu comme l'antithèse de l'art, désintéressé et authentique : l'objet de luxe n'est destiné qu'au paraître, c'est une chimère, tandis que l'objet d'art ne s'en soucie pas : il « est », la beauté est sa raison d'être, celle de l'objet de luxe est seulement de « paraître ».

Un détail, voire une hypothèse, mais qui vient à l'appui du souci de Saint-Saëns de conférer au sujet de son ouvrage une signification plus profonde qu'il n'y paraît ; une signification un peu lourde à porter pour ses frêles épaules, mais justifiant mieux le sous-titre *Drame lyrique* :

D'intrigue [écrit-il en 1914], il n'y en pas, et la pièce aurait peu de valeur si l'on ne s'apercevait que son véritable sujet n'est autre chose que la lutte d'une âme d'artiste contre les vulgarités de la vie [...]. L'idéal de l'artiste est dans l'art ; sa nature humaine le pousse à le chercher ailleurs et jamais il ne le trouvera, parce que l'art, basé sur la Nature, n'est pas la Nature, et que l'artiste, s'il cherche imprudemment son idéal dans la Nature, n'y peut rencontrer que des illusions.

Et Saint-Saëns de donner l'exemple du chœur « Carnaval ! Carnaval ! » chanté en coulisses à l'acte I « écrit dans un style dont la vulgarité, odieuse à l'artiste, est destinée à l'irriter. Il est de mauvais goût et mal prosodié. » Il faut cependant y regarder à deux fois pour se montrer aussi affirmatif. Il aurait pu citer à meilleur escient la chanson de Spiridion « De Naples à Florence » ou le brindisi « Vivat, vive le vin »... Ce serait oublier la coquetterie de Saint-Saëns qui, très conscient de sa supériorité, n'avouait comme défauts que ceux qui passeraient pour des qualités chez tant d'autres. Mal prosodié, ce chœur ? Soit, admettons. Intentionnellement ? C'est moins sûr, car il a eu la main un peu trop légère et là serait le vrai défaut : l'effet ne porte pas. Une romance de jeunesse inédite, *Lamento* (1850) sur le poème de Gautier (« Ma belle amie est morte ») suffirait à dévoiler la mauvaise foi : voulant écrire une « vraie » *Chanson du pêcheur*, de celles que l'on fredonne sans excès d'émotion parce que l'air vous trotte dans la tête et qu'on n'a pas de deuil à déplorer, Saint-Saëns ne s'est pas contenté d'écrire une mélodie simple, il y a placé des syllabes fortes sur des temps faibles, selon le style populaire, mais, pour qu'on ne s'y trompe pas, il les a surmontées d'un accent. Rien de tel ici. Quant au « véritable sujet » du *Timbre d'argent* (« la lutte d'une âme d'artiste contre les vulgarités de la vie »), nul besoin d'y croire, heureusement, pour tomber sous le charme d'une partition qui ne demande que cela.

———

Carte compliment de Saint-Saëns avec incipit d'*Henry VIII*.
Archives Leduc.

Saint-Saëns's compliments card with incipit from *Henry VIII*.
Leduc Archives.

Un mot de l'auteur

Camille Saint-Saëns

À trois occasions dans sa carrière, Camille Saint-Saëns expliqua la genèse et les aspirations artistiques d'un opéra qui lui tenait particulièrement à cœur. L'article de mai 1911 et la note de programme de janvier 1914 sont particulièrement éclairants. Ces deux textes, reproduits en partie ci-après, ont été publiés en 2012 par Marie-Gabrielle Soret dans les *Écrits sur la musique et les musiciens*.

'HISTOIRE D'UN OPÉRA-COMIQUE' [MAI 1911]

Carvalho me donna *Le Timbre d'argent*, dont il ne savait que faire, plusieurs musiciens l'ayant refusé. Il y avait de bonnes raisons pour cela ; avec un fond excellent, très favorable à la musique, ce livret présentait d'énormes défauts. Je demandai des changements importants que les auteurs, Barbier et Carré, m'accordèrent immédiatement, et, retiré sur les hauteurs de Louveciennes, j'écrivis en deux mois l'esquisse des cinq actes que l'ouvrage comportait primitivement.

Il me fallut *deux années* d'attente, avant d'obtenir que Carvalho consentît à entendre ma musique. Enfin, las de mes sollicitations, décidé à se débarrasser de moi, Carvalho m'invite à dîner avec ma partition ; et après le dîner, me voilà au piano, M. Carvalho d'un côté, Mme Carvalho de l'autre, tous deux fort aimables, mais d'une amabilité dont le sens caché ne pouvait m'échapper. Ils ne se doutaient pas de ce qui les attendait. Tous deux aimaient réellement la musique ; et, peu à peu, les voilà sous le charme ; le sérieux succède à la gracieuseté perfide ; à la fin, c'était l'enthousiasme ! Carvalho déclare qu'il va mettre l'ouvrage à l'étude le plus tôt possible ;

c'est un chef-d'œuvre, ce sera un grand succès ; mais pour assurer le succès, il faut que Mme Carvalho chante le premier rôle. Or, dans *Le Timbre d'argent*, le premier rôle est un rôle de danseuse, et celui de la chanteuse était fort effacé. Qu'à cela ne tienne, on développera le rôle. Barbier inventa une jolie situation pour amener le morceau « Le bonheur est chose légère » ; mais ce n'était pas assez. Barbier et Carré se creusaient la tête sans rien trouver ; car il y a, au théâtre comme ailleurs, des problèmes insolubles. Entre temps, on cherchait une danseuse de premier ordre ; on avait fini par en trouver une, récemment sortie de l'Opéra, bien qu'elle fût encore dans tout l'éclat de la beauté et du talent. Et l'on cherchait toujours le moyen de rendre le rôle d'Hélène digne de Mme Carvalho.

Le fameux directeur avait une manie : il voulait collaborer aux pièces qu'il représentait sur son théâtre. Fût-ce une œuvre consacrée par le temps et par le succès, il fallait qu'elle portât sa marque ; à plus forte raison s'il s'agissait d'une œuvre nouvelle. Il vous annonçait brusquement qu'il fallait changer l'époque ou le pays où vous aviez situé l'action de votre pièce. Longtemps il nous tourmenta pour faire de la danseuse une chanteuse, à l'intention de sa femme ; plus tard, il voulait introduire une deuxième danseuse, à côté de la première. La pièce, sauf le prologue et l'épilogue, se passant dans un rêve, il s'en autorisait pour inventer les combinaisons les plus bizarres ; ne me proposait-il pas un jour, d'y introduire des animaux féroces ? Une autre fois, c'est toute la musique qu'il voulait retrancher, à l'exception des chœurs et du rôle de la danseuse, le reste devant être joué par une troupe de drame. Comme on répétait alors *Hamlet* à l'Opéra et que le bruit courait que Mlle Nilsson jouerait une scène aquatique, il voulait que Mme Carvalho allât au fond d'un fleuve pour y chercher le timbre fatal. Deux autres années se passèrent dans ces niaiseries.

Enfin, on renonça au concours de Mme Carvalho ; le rôle d'Hélène fut confié à la belle Mlle Schroeder et les répétitions commencèrent. Elles furent interrompues par la faillite du Théâtre-Lyrique. Peu de temps après, Perrin demanda *Le Timbre d'argent* pour l'Opéra. L'adaptation de l'ouvrage à cette grande scène demandait d'importantes modifications ; il fallait mettre en musique tout le dialogue ; les auteurs se mirent à l'œuvre. Perrin nous donnait Mme Carvalho pour Hélène, M. Faure pour Spiridion ; mais il voulait faire du rôle du ténor un travesti pour Mlle Wertheimber ; il désirait l'engager, et n'avait pas d'autre rôle à lui donner. Cette transformation était impossible. Après plusieurs séances de pourparlers, Perrin céda devant le refus obstiné des auteurs ; mais je vis clairement à son attitude qu'il ne jouerait jamais notre pièce. Là-dessus, Du Locle prit la direction de l'Opéra-Comique, et, voyant que son oncle Perrin ne se décidait pas à monter *Le Timbre d'argent*, il le lui demanda. Nouvel avatar de la pièce, nouveaux travaux considérables pour le musicien. Ces travaux n'étaient pas commodes. Unis jusque-là comme Oreste et Pylade, Barbier et Carré s'étaient brouillés ; ce que l'un proposait était systématiquement refusé par l'autre ; l'un demeurait à Paris ; l'autre à la campagne, et j'allais de Paris à la campagne, de la campagne à Paris, tâchant d'accorder ensemble ces frères ennemis. Ce jeu de navette dura tout l'été, après quoi les ennemis éphémères parvinrent à s'entendre et redevinrent amis comme avant.

On se croyait près du but. Du Locle avait découvert en Italie une danseuse ravissante sur laquelle il comptait beaucoup ; mais, hélas ! cette danseuse n'en était pas une : c'était une *mime* ; elle ne dansait pas. Comme il n'était plus temps d'en chercher une autre pour la saison, Du Locle, pour me faire prendre patience, me fit écrire avec Louis Gallet *La Princesse jaune*, qui fut mon début au théâtre ; j'avais atteint trente-cinq ans. Cet innocent petit ouvrage fut accueilli avec l'hostilité la plus féroce. « On ne sait, écrivit Jouvin, alors critique redouté, dans quelle tonalité, dans quelle mesure est écrite l'ouverture. » Et, pour me montrer à quel point je m'étais trompé, il m'apprenait que le public était « un composé d'angles et d'ombres ». Sa prose, à coup sûr, était plus obscure que ma musique. Enfin, on engage en Italie une vraie danseuse ; rien ne paraissait plus s'opposer à l'apparition de ce malheureux *Timbre*. « C'est invraisemblable, disais-je, il arrivera quelque catastrophe pour se mettre en travers. » Il arriva la guerre.

'LE TIMBRE D'ARGENT'
[JANVIER 1914]

L'époque de la première représentation du *Timbre d'argent* remonte à une quarantaine d'années. C'est donc de la musique à la mode du temps passé ; pas tout à fait cependant, car cet ouvrage qui était alors un opéra-comique mêlé de dialogue apparaissait néanmoins comme une œuvre révolutionnaire et prodigieusement « avancée ». En ce temps-là, les opéras n'étaient pas divisés en scènes, mais en « morceaux », presque tous coulés dans le même moule que les musiciens adoptaient docilement. L'auteur du *Timbre d'argent*, qui, bien avant de connaître les œuvres de Richard Wagner, rêvait d'opéras divisés en scènes de formes variées et non pas en morceaux de coupe uniforme, avait brisé les moules que ses librettistes lui avaient donnés, et construit ses morceaux avec une entière liberté. Ajoutez à cela le rôle considérable attribué à l'orchestre, les motifs caractéristiques circulant dans toute l'œuvre comme le sang dans les veines et se transformant suivant les circonstances, et vous ne vous étonnerez pas que l'auteur passât pour dangereux et même pour « wagnérien », ce qui était alors presque une injure. Bien qu'il y eût dans *Le Timbre d'argent* des airs et même des romances, on trouvait que la mélodie en était absente ; on sera peut-être aujourd'hui d'un avis contraire.

Le *Timbre d'argent* n'a pas la prétention d'être autre chose qu'une œuvre légère ; pourtant cette légèreté recouvre quelques profondeurs qui la rendent plus lyrique assurément qu'une comédie d'intrigue. D'intrigue, il n'y en a pas, et la pièce aurait peu de signification si l'on ne s'apercevait que son véritable sujet n'est autre chose que la lutte d'une âme d'artiste contre les vulgarités de la vie, son inaptitude à vivre et à penser comme tout le monde, quelque désir qu'il en ait. L'idéal de l'artiste est dans l'art ; sa nature humaine le pousse à le chercher ailleurs et jamais il ne le trouvera, parce que l'art, basé sur la Nature, n'est pas la Nature, et que l'artiste, s'il cherche imprudemment son idéal dans la Nature, n'y peut rencontrer que des illusions.

Conrad a cru d'abord trouver son idéal réalisé dans Fiametta, sans voir que la Circé créée par son pinceau est cet idéal et que Fiametta n'en est que l'ombre. Entraîné par la danseuse dans une vie de luxe et de débauche, il n'y rencontre que déception, crime et folie ; les auteurs ont transporté dans un rêve ce qui devrait se passer dans la réalité. Guéri de cette passion funeste, rendu à la raison, il croit trouver le bonheur dans l'amour de la chaste et affectueuse Hélène ; il ne l'y trouvera pas davantage, et un autre drame faisant suite à celui-ci pourrait nous montrer Conrad fatigué des vertus d'Hélène comme il l'a été des vices de Fiametta, Hélène désespérée devant son impuissance à contenter une âme insatiable pour qui la vie ordinaire est sans saveur et sans intérêt.

L'œuvre a changé d'aspect, le dialogue a disparu, l'opéra-comique est devenu un grand opéra, de sa première forme sont restés les airs, duos, romances, qui ne sont plus de mode aujourd'hui et le redeviendront peut-être demain. L'une d'elles, « le bonheur est chose légère », a figuré souvent dans les concerts. Lorsqu'il fut question de représenter *Le Timbre d'argent* à l'Opéra sous la direction d'Émile Perrin, l'auteur donnait un jour une audition de sa musique au célèbre directeur, quand celui-ci l'arrêta au chœur « Carnaval ! Carnaval ! » chanté dans la coulisse au premier acte. « On dirait que ce n'est pas de vous ! » lui dit-il. Perrin montrait en cela un sens très fin. Ce chœur, en effet, qui provoque chez Conrad une crise violente est écrit dans un style dont la vulgarité, odieuse à l'artiste, est destinée à l'irriter : il est de mauvais goût et mal prosodié. On le retrouvera au dernier acte développé dans le grand Carnaval qui met le comble à la folie de Conrad.

Le même contraste est visible dans l'œuvre entière : il est facile de constater le désaccord qui sépare la Circé idéale du peintre de la Circé réalisée par la danseuse. Par deux fois, en présence de la peinture, on entend une phrase qui symbolise les hautes aspirations de l'artiste ; quand le tableau s'anime, le cor fait entendre les premières notes de la phrase, dans le mode majeur d'abord, dans le mode mineur ensuite ; puis Circé s'élance hors du cadre et tout de suite c'est un autre monde, ce n'est plus la pureté artistique rêvée par Conrad. C'est bien pis au troisième acte, alors que Fiametta le séduit de nouveau, accompagnée par une phrase d'un style mélodique outré, plus passionné qu'esthétique. Il succombe pourtant : l'ensorceleuse en même temps qu'elle le pousse au crime lui fait renier ses convictions artistiques ; et cela est très humain. Ne voit-on pas tous les jours des hommes d'éducation brillante, jusque-là parfaitement honorables, rouler aux pires infamies sous l'influence d'une femme des plus vulgaires ?

Tout cela est du domaine du symbole et doit nécessairement échapper à un spectateur non prévenu. Il ne faut pas oublier que l'auteur, lorsqu'il conçut primitivement son œuvre, était encore dans l'âge des illusions ; il les a perdues depuis et s'est persuadé qu'il était inopportun de donner des énigmes à déchiffrer au public lorsqu'on présentait une œuvre sur la scène ; et que si l'on se permettait d'avoir recours au symbole c'était à la condition qu'il fût de nature à être compris sans effort comme dans *Samson* et dans *Hélène*. Pendant ce temps, le Théâtre évoluait en sens contraire et le Symbole y prenait faveur, sans y réussir toujours : il y eut quelques déceptions. Dumas fils dans la préface de *La Femme de Claude*, s'est presque indigné qu'on n'ait pas su pénétrer les arcanes qu'il y avait cachés ; malgré de longs et persistants efforts, certains ouvrages symboliques n'ont pu réussir à vaincre l'indifférence générale ; quelques autres ont été plus heureux. Pour tout dire, il y a une sorte de volupté perverse dans la production d'œuvres que l'on sait inaccessibles. « Mon second *Faust* » a dit Goethe, « contient des choses que seuls Dieu et moi comprennent ; quand je serai mort il n'y aura plus que Dieu ». D'autres ont été plus loin et ont écrit des poèmes entiers compréhensibles pour eux seuls. Cet état d'esprit n'est pas spécial à notre époque : au XVIᵉ siècle, des poètes italiens écrivaient des vers sans se préoccuper aucunement du sens des mots. De nos jours, la « volupté perverse » gagne le public ; il prend goût à l'incompréhensible ; certaines gens dédaignent ce qu'ils comprennent pour se plonger à corps perdu dans le mystère. L'art étant par lui-même un mystère, le mystérieux lui sied, c'est incontestable ; pourtant, en cela comme en tout, il est peut-être prudent de ne pas exagérer...

Le Timbre d'argent a été entièrement remanié par l'auteur ; il a supprimé quelques passages, ajouté beaucoup de musique nouvelle, rétabli en le réinstrumentant le premier tableau du dernier acte que l'on avait supprimé malgré lui dès le principe, bien qu'il fût indispensable pour expliquer la Ballade chantée par Spiridion au tableau suivant. Il y a de tout dans cet ouvrage, qui va de la Symphonie à l'Opérette en passant par le Drame lyrique et le Ballet. L'auteur s'est efforcé néanmoins de lui donner une certaine unité : le public seul pourra juger s'il y a réussi.

M.CAMILLE SAINT-SAENS, auteur de « Henri VIII ».
[Dessin de M. Vuillier, d'après la photographie de M. Truchelut.]

Camille Saint-Saëns.
Archives Leduc.

Camille Saint-Saëns.
Leduc Archives.

Synopsis

ACTE I

Une nuit de Noël, le peintre Conrad se plaint de son état miséreux malgré le soutien de son ami Bénédict, de son médecin Spiridion et de son amoureuse Hélène. Épris d'une danseuse qu'il a peinte en Circé, Conrad accuse Spiridion de lui porter malheur puis s'évanouit. Dans un rêve, il voit danser Circé et rencontre le médecin qui lui offre un timbre d'argent. À chaque fois qu'il fera retentir cette clochette, il s'enrichira, au prix de la mort d'un proche. À son réveil, Conrad frappe le timbre : l'or ruisselle, mais le père d'Hélène s'effondre, mort.

ACTE II

Au théâtre, la danseuse Fiammetta reçoit des présents de Conrad et de Spiridion, changé en marquis. Ils lui promettent chacun un palais puis se défient au jeu. Le marquis métamorphose alors le plateau en *palazzo* florentin apprêté pour un banquet. Conrad, furieux d'avoir perdu, saccage le festin afin de résister à la tentation du timbre d'argent.

ACTE III

Dans la chaumière offerte à Hélène et à sa sœur Rosa par Conrad, Rosa s'apprête pour ses noces avec Bénédict. Conrad a enterré le timbre dans le jardin, mais Spiridion et Fiammetta paraissent pour le tenter. Changés en bohémiens, ils s'invitent à la noce pour danser. Conrad frappe à nouveau le timbre, Bénédict tombe mort.

ACTE IV

Attiré vers le lac où il a jeté le timbre, Conrad résiste aux sirènes. Spiridion convoque un ballet où brille Circé. Conrad invoque Hélène. Le fantôme de Bénédict lui remet le timbre qu'il trouve la force de briser. Dans son atelier, Conrad s'éveille au son cauchemar. Il demande Hélène en mariage et accepte un destin modeste et laborieux.

Édition séparée de la « Chanson napolitaine » de Spiridion.
Collection particulière.

Separate edition of Spiridion's 'Neapolitan Song'.
Private collection.

When the hour of rediscovery strikes

Agnès Terrier & Alexandre Dratwicki

Exploration of Saint-Saëns's *Le Timbre d'argent* presents a splendid opportunity to reflect on missed appointments with fame. There is perhaps no other operatic work of the nineteenth century that was given so many opportunities to reveal the originality of its composer yet so unerringly missed its chance each time. Composed in 1864, premiered in a considerably modified version in 1877 and revived – after interminable negotiations – in 1914, Saint-Saëns's sparkling score fell victim to both journalistic cabals and theatrical bankruptcies, and ended its career just before the cannon of the First World War began to roar. Yet it seemed to have everything to appeal to the public: the popular vein of the *Chanson napolitaine*, the symphonic developments of the longest overture he ever wrote, and the fantastical plot of a subject close to Offenbach's *Les Contes d'Hoffmann*. To crown it all, the protagonist of this tortuous plot was played by a ballerina, the very embodiment of the tastes of Romantic Paris since the early days of the Empire. And Saint-Saëns, over a period of exactly fifty years, could never bring himself to abandon his work, which he considered deserving of a better fate and still artistically valid despite the decisive musical advances of Debussy and Ravel.

Yet it should come as no surprise that *Le Timbre d'argent* has had to wait until 2017 for its first modern stage revival and until 2020 to receive its first recording – for, oddly enough, the operatic œuvre of Saint-Saëns remains astonishingly neglected. While his name now circulates in every country in the world thanks to *Le Carnaval des animaux*, the *Danse macabre*, the 'Organ' Symphony and the piano and cello concertos, there is still little or no trace to be found of *Déjanire*, *Phryné*, *Frédégonde* or *L'Ancêtre*. At a time when Massenet seems to have emerged from his purgatory, and rare works by Gounod are gradually being rehabilitated (*Cinq-Mars* and *La Nonne sanglante*, in particular), everything remains to be done in the case of Saint-Saëns. Clearly, just as *Carmen* obscures the rest of Bizet's operatic output, *Samson et Dalila* seems to cast a fatal shadow over the other operas of Saint-Saëns.

A resurrection of *Le Timbre d'argent* of course raises the question of which version to choose. As the authors of the following articles explain, each formulation of the work has its justification and its own specific dramaturgy. The Palazzetto Bru Zane, in consultation with the director of the Opéra Comique, Olivier Mantei, and the conductor François-Xavier Roth, decided to opt for the final version, as revised for the Théâtre de la Monnaie in 1913. This is the form of the work that contains the most music, since it replaces the spoken dialogue with recitatives, which are a more alluring proposition in a recording. Only one number had to be cut for theatrical reasons and could not be reinstated on the discs: this was the waltz for orchestra in the last act, whose theme also appears at other points in the score. But that gap will soon be filled, since there are already plans to record the waltz in an orchestral anthology for future release.

We hope that the enthusiasm and commitment of the performers in the June 2017 production, directed by Guillaume Vincent, is fully captured in this recording. If so, they will convince home listeners, as they did the audience at the Opéra Comique, of the exceptional character of *Le Timbre d'argent*, a thrilling piece with a flamboyant score and a testimony to the dramatic genius of Saint-Saëns.

———

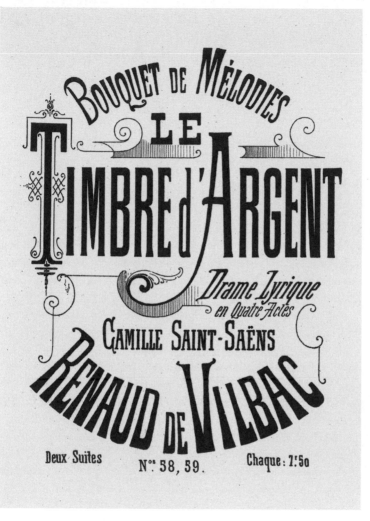

Two piano suites arranged by De Vilback.
Private collection.

Deux suites pour piano arrangées par De Vilback.
Collection particulière.

Le Timbre d'argent and its transformations

Hugh Macdonald

In 1880 Saint-Saëns was asked to make some revisions in *Le Timbre d'argent* which had then been staged once in Paris and once in Brussels. There was a possibility of a third staging in St Petersburg. 'Do you realise that this would be the *sixth* version of this opera?' he replied. 'It's not an opera any more, it's a nightmare.'

In fact the St Petersburg performances did not take place, but it was far from the end of the story, since he worked on it in 1894, again in 1903, and again in 1913. Of all Saint-Saëns's operas, *Le Timbre d'argent* underwent more revision and alteration than any of the others, which is a good reason why it should be revived and studied today. Another good reason is that its libretto is an exceptionally lively example of the work of Jules Barbier and Michel Carré, the leading pair of librettists of their day, who supplied texts for Halévy, Meyerbeer, Bizet, Reyer, Gounod (*Faust, Mireille, Roméo et Juliette* and others), Thomas (*Mignon* and *Hamlet*), in other words all the major French composers of their time.

The vocal score was first published in 1877 at the time of the first performance by Choudens, who was assiduous in meeting the needs of his customers by attempting to purvey whatever version of the opera they were likely to have seen in the theatre. He was more willing than any other Parisian publisher to issue revised versions of his operas, while Durand, who published all of Saint-Saëns's later operas, was reluctant to reissue vocal and orchestral scores of operas unless it was really necessary. Thus for *Le Timbre d'argent* there are no fewer than six different versions of the vocal score reflecting the various states of the opera between 1877 and 1913. When Saint-Saëns counted six versions in 1880 only two had appeared in print, the other four being lodged in his memory from all that had happened to the opera between 1864, when it was composed, and its first performance.

Even that does not take into account the history of the libretto before it fell into Saint-Saëns's hands. It started life as a play intended for the Théâtre de l'Odéon in about 1852. At that early stage in their career Barbier and Carré were writing plays, not operas, some of which became operas in later years. The best-known of these were *Faust et Marguerite* (by Carré alone) in 1850 and *Les Contes d'Hoffmann* (by both of them) in 1851, later to bring glory to Gounod and Offenbach respectively. The three plays share the theme of a mysterious figure who preys upon the weaknesses of his victim by adopting different disguises and demanding a heavy price for providing whatever female or financial satisfactions the poor victim asks for. In *Le Timbre d'argent* the equivalent of Méphistophélès and Councillor Lindorf is Spiridion, a 'doctor', who reappears in each act in a different disguise. In their operatic form, these manipulative bass-baritones enter on a diminished seventh and lure their tenor victims into a fatal pact. The equivalent of Faust and Hoffmann is the painter Conrad, an unhappy soul in love with the dancer Fiametta who was his model for a painting of Circe, while he is supposed to be engaged to the blameless Hélène.

For some reason *Le Timbre d'argent* was not played, so its authors rewrote it as an 'opéra fantastique' and offered it in turn to Xavier Boisselot and Henry Litolff. Boisselot was a lazy composer who produced only three operas in a long life, and Litolff was probably too busy to take it on. So it then passed to Halévy, composer of *La Juive* and Permanent Secretary of the Institute, France's most eminent musician, who was probably too busy or too ill to compose another opera.

When Halévy died in 1862 the libretto ended up in the hands of Léon Carvalho, director of the Théâtre-Lyrique and a leading arbiter of operatic developments in the 1860s. In 1863 he put on Bizet's *Les Pêcheurs de perles* and Berlioz's *Les Troyens à Carthage*, and his dictatorial and eccentric management led him to take on impossible projects, present new composers, revive foreign classics, and keep his public constantly on their toes, since he was not obliged by government regulation to restrict his repertoire in the way that both the Opéra and the Opéra-Comique were. He stumbled from one financial precipice to another, but always provided a hopeful arena for young French composers, even if he treated his artists and his staff with disdain and little tact. *Le Timbre d'argent* was still among his collection of unassigned operas in the summer of 1864 when Auber, Director of the Conservatoire, asked Carvalho if he had a libretto he could offer Saint-Saëns as compensation for not winning the Prix de Rome that year.

Eager to establish himself in opera, Saint-Saëns accepted the libretto and secured a few changes from Barbier and Carré, probably the names of characters, since an early draft of the libretto has the principal character named Wolframb in the clutches of someone named Argur, who transforms himself into various disguises: José, then Malhmann, then the Baron de Frohsdorf. Argur gives Wolframb a magic talisman in the form of a silver bell (*timbre d'argent*) which brings untold wealth to whoever strikes it, but always at the price of someone's life. (This may be derived from Balzac's *La Peau de chagrin*, an immensely popular novel in which the ass's skin fulfils its possessor's wishes but only at the price of his gradual physical decline.)

Saint-Saëns composed the score quickly. The first revision brought about the composition of Hélène's air 'Le bonheur est chose légère' at the end of the second act because Carvalho's wife, who was also his leading soprano, was unhappy that the leading female role was to be a dancer. This at least boosted the soprano role. Carvalho had some other suggestions: two dancers, not one; some animals on stage, on the grounds that the action of the opera takes place in a dream; and to revert to its form as a play with a dancer and chorus. Saint-Saëns was hardly likely to accede to this last suggestion.

When the opera went into rehearsal in January 1868 Carvalho heard a rumour (actually false) that Christine Nilsson was to play Ophélie's death scene in Thomas's *Hamlet*, then in rehearsal at the Opéra, under water. He immediately persuaded Saint-Saëns to add an underwater scene to *Le Timbre d'argent*. *Le Figaro* was able to announce that the forthcoming production would include a Neapolitan song, a dance accompanied by a fantastic bagpipe, a village waltz, a chorus of beggars, a carnival scene, and an underwater ballet, 'that is to say *swum*'.

Not for the first or last time, Carvalho ran out of money and the production was cancelled. Perrin, director of the Opéra, offered to mount *Le Timbre d'argent* on his larger stage, provided the dialogue was set to music, which Saint-Saëns was willing to do. Perrin's offer was never serious, however, so his nephew, Camille Du Locle, director of the Opéra-Comique, stepped in and undertook to mount the opera there. Dialogue was restored and some singers and a dancer were engaged. But the outbreak of war in September 1870 put an end to that plan, marking *Le Timbre d'argent* as perhaps the only opera ever to be accepted by the three main opera houses in Paris and performed at none of them.

One more company took an interest: the 'Troisième Théâtre-Lyrique Français', in 1875, but this too ran out of money. Finally a fifth company, a new version of the Théâtre-Lyrique, playing at the Théâtre de la Gaîté, opened in May 1876 and put on *Le Timbre d'argent* in January 1877. The manager, the violinist Vizentini, was sympathetic to Saint-Saëns but he was forced to cut corners, so that the singers and chorus were weak and there was not enough rehearsal. But the opera had finally reached the stage. Like others before him, Vizentini ran out of money before the public had stopped lining up for tickets, so the run came to an end after eighteen performances.

The original plan was an *opéra-comique* in four acts with prologue and epilogue, like the original plan of *Les Contes d'Hoffmann*. The prologue would have consisted of the present Act One. Similarly, the epilogue would have begun half way through the present no.24, when the scene changes back to Conrad's atelier. When the opera was in rehearsal at the Théâtre-Lyrique in 1868 the overture was to be played after the prologue and before Act One. The underwater scene proposed by Carvalho and the recitatives required by Perrin were written in the 1860s, although they were not adopted until 1913.

The 1877 version put the overture at the beginning and divided the opera into four acts, the prologue and epilogue being absorbed into the first and last acts. Some passages originally intended as dialogue (printed as prose in the libretto) were set to music as recitative. Dialogue and *parlé* over music were retained for a revival in Brussels in 1879, but a number of revisions were applied and the vocal score was issued in its new form. Substantial cuts were made in the overture and elsewhere in the opera, including the second verse of 'Le bonheur est chose légère'. In the final scene the great confrontation between Hélène and Fiametta was cut short, abandoning the remarkable exchanges of song and mime between a singer and a dancer and going directly to Conrad's abrupt change of heart. There is now no illusion of a happy ending. Spiridion's 'Il est à moi!' is now sung, not spoken (or shouted).

In 1894 Saint-Saëns reported being hard at work revising the opera, perhaps for the next edition to appear from Choudens, although no performances are known at that time. With some prospect of a revival at the Opéra-Comique, a new edition of the vocal score was issued in 1903 at the same time as a full score. That revival did not take place, but the opera was taken up in Germany, with productions in Elberfeld in February 1904, in Berlin in January 1905, also in Cologne. Choudens therefore issued a German vocal score too. 'I have restored certain things that had been cut without my approval, and cut some others which I no longer liked', Saint-Saëns wrote. He restored some of the cuts in the overture but kept others. Many cuts made in 1879 were restored. The two main removals were the thirty-five bars in no.7, the gaming scene, in which Spiridion boasts somewhat vacuously before the game begins, and the whole of no.14, the *Duo* for Hélène and Rosa, which is a pity if only because Rosa's part is already small.

This version was given three performances in Monte Carlo in 1907 with Marguerite Carré, the librettist's daughter-in-law, singing Hélène and Maggie Teyte as Rosa. A final overhaul was yet to be imposed and this occupied Saint-Saëns in 1913 in response to a proposal by La Monnaie in Brussels to stage it as an all-sung opera, dialogue being already unpopular with singers and perhaps with audiences too. In fact at least one line of *parlé* was retained for Spiridion's shouted warning in Act Three that Conrad is holding the silver bell. Saint-Saëns returned to his copious workings from the 1860s, namely his settings of all the dialogue as recitative, and also the underwater scene at the beginning of Act Four which had seemed so far-fetched when first suggested. He had help with the versification from Barbier's son Pierre, and much of the music needed orchestrating. The performances took place in March 1914 and a final vocal score appeared from Choudens.

The absence of dialogue substantially alters the character of the opera, which had always been a potpourri of theatrical devices, not purely an opera in any sense. The recitatives are skilfully done, of course, sometimes expanding into lyricism, and the underwater scene is an interesting challenge for the production on top of all the in-sight transformations. More recitative was needed after Bénédict's first song, in which Conrad rapturously expands the portrait motif, carried away by thoughts of the model Fiametta, a great passage that anyone would prefer to dialogue. The bell motif also appears for the first time, since Conrad asks Bénédict to pay off the hated doctor not with his last florin, as in the dialogue version, but with a silver bell given him by his father on his deathbed. Thus Spiridion later returns the bell to Conrad with its magic properties, which perhaps it had always possessed, if his father had caused his own death by ringing it.

In Act Two a long recitative precedes Bénédict's violin *Romance* (no. 8). Conrad gradually warms to Bénédict's evocation of the country cottage (to be the setting for Act Three) where he and Rosa are to be married. The new scene at the start of Act Four is set by moonlight beside a lake. Seeking to recover the silver bell which he has thrown into the water, Conrad encounters a group of Sirens who tease him with pre-echoes of 'Sur le sable brille', Spiridion's *Ballade*, yet to be heard, with its derivation from the bell's motto theme. Lured by their seductiveness, he is about to plunge into the depths when he recovers his senses and runs off. Saint-Saëns was perfectly aware that the scene closely resembles the opening scene of *Das Rheingold*, but he wrote it before he had heard that opera and no doubt felt in 1913 that he was no longer afraid of the competition. He was also concerned that yet another scene-change would require an entr'acte; in fact the music runs directly into the return of 'Carnaval!' which has a good stretch of music before the curtain has to rise. The ending preserved the shorter version worked out for the first Brussels performances in 1879. The three performances in Brussels in March 1914 were a great success and a source of great satisfaction to Saint-Saëns. He wrote a brochure about the opera to accompany the performances.

If this opera was repeatedly transformed by revision, it is ironic that transformation is itself a central feature of the action. An obsession with anthropomorphism is found in a great number of librettos by Barbier and Carré, who liked to base operas on Ovid's *Metamorphoses* with portraits coming to life, humans transformed into animals, magic talismans, and so on. The classic case of an artist falling in love with his work, as Conrad does in *Le Timbre d'argent*, is the story of Pygmalion and Galatea, which, it so happens, was rendered as a libretto by Barbier and Carré in 1852, the same year as their first *Timbre d'argent*. The composer was Victor Massé, and his *Galatée* was one of his leading successes. In *Le Timbre d'argent* Spiridion becomes in turn a doctor from the *Commedia dell'arte*, the Marquis de Polycastro, Pippo the coachman, an Italian balladeer, and the

Devil himself. Clearly he is none other than Hoffmann's Councillor Lindorf reinventing himself as Coppelius, Miracle and Dapertutto. The model Fiametta's *alter ego* as Circé is another shifting personality like Stella-Olympia-Antonia-Giulietta in *Les Contes d'Hoffmann*.

Barbier and Carré liked to transform the stage as well as their dramatic characters. One of their early plays, *Les Marionnettes du docteur* (1851), has yet another doctor manipulating his victims, this time his country-house guests, by showing marionettes which play out their fantasies and fears. For this purpose the real proscenium becomes the proscenium of the marionette theatre. *Le Timbre d'argent* requires the greatest number of scene-changes of any of these plays, including the view of a theatre from the back of the stage with the audience in the distance. In Act One the scene of Conrad's atelier dissolves into a nymph-filled landscape and back again. In Act Two the first tableau shows Fiametta's dressing-room at the theatre, with a scene-change to the stage itself, seen from the back. This transforms into a banquet scene, which in turn is dissolved into a Florentine palace. The third act is set outside a country cottage, without any scene-changes, and the fourth opens underwater (in the final version) and changes to a street scene that dissolves back to the opening scene in Conrad's atelier. With all this to devise, the stage crew at any theatre would face an unusual challenge; indeed its ambitious stagecraft may have been the reason why the original play was not performed.

The complexity of its staging and of its different versions makes *Le Timbre d'argent* the most absorbing of all Saint-Saëns's operas. The Brussels performances in 1914 were the last time he heard the opera, in fact the last time anyone heard the opera before the present revival, which is long overdue. If any of it has been performed at all in the last hundred years, it has been the two lovely airs 'Demande à l'oiseau qui s'éveille' and 'Le bonheur est chose légère', which have enjoyed some currency as solo numbers recorded by well-known singers.

———

Scenes from *Le Timbre d'argent* in the illustrated press.
Bibliothèque Nationale de France, Paris.

Scènes du *Timbre d'argent* parues dans la presse.
Bibliothèque nationale de France.

The genesis of *Le Timbre d'argent*

Marie-Gabrielle Soret

Within Camille Saint-Saëns's operatic output, *Le Timbre d'argent* occupies a special place and deserves special attention. It is a thoroughly neglected work today, but there are many reasons to plead its cause and to rejoice at its resurrection. Already during the composer's lifetime, ill fate pursued the opera relentlessly, for its complicated genesis and a path strewn with obstacles perturbed its creation and reception. These multiple vicissitudes exemplified both the problems encountered by young composers when they attempted timid innovations and the difficulty the new generation of composers active at the pivotal era between the Second Empire and the Third Republic faced in gaining access to the operatic stage.

From the outset, *Le Timbre d'argent* was regarded by its contemporaries as an atypical work, so many mutations and changes of genre and venue did it suffer before and even after its premiere in 1877. As the music critic Adolphe Jullien said:

> Never has an opera undergone more transformations, encountered more obstacles, been attempted by more composers and been offered to more theatres than this unfortunate *Timbre d'argent*.

To gain a better understanding of the circumstances surrounding its realisation, it is necessary to go back thirteen years. In 1864 Saint-Saëns was twenty-eight years old and his career as a virtuoso pianist and organist was booming. His list of works was already long and his reputation as an 'advanced' composer continued to grow. However, he had yet to prove himself on the operatic stage, and he absolutely wished to do so. To compose an opera and see it well received – especially on the stage of the Paris Opéra – was a crucial step in gaining recognition as a fully-fledged composer and rising above a reputation as a 'pianist-composer'. But such recognition was very difficult to acquire when, like Saint-Saëns, one had not received the Prix de Rome.

Saint-Saëns had already competed for this prize that opened all doors in 1852 but, at the age of only sixteen, the jury found him too young. In 1864, he made a second attempt, but this time he was not awarded it either, on the pretext that he was too old... and that he did not need it. However, Auber, who was on the jury and had voted for Saint-Saëns, found the young man's failure to win particularly unfair; and, as a 'consolation prize' for the unfortunate candidate, he asked the director of the Théâtre-Lyrique, Léon Carvalho, for an *opéra-comique* libretto that he had in reserve, and made him promise to stage the setting of it that Saint-Saëns would compose. This provided a means of bypassing the institutions and finally giving the composer his chance. Saint-Saëns would always be grateful to Auber for this generous initiative.

The gift was not quite as glittering as it might seem, however, because this libretto entitled *Le Timbre d'argent*, although produced by two well-known librettists, Jules Barbier and Michel Carré, was not without defects. It had already been offered to and refused by three composers – Xavier Boisselot, Henri Litolff and Charles Gounod – and it was said that 'as in the game of pass-the-parcel', it had already 'circulated from hand to hand and from desk to piano' for a good ten years. Saint-Saëns nevertheless took up the challenge. He requested significant changes to the text, which Barbier and Carré easily granted, and he wrote a score in five acts very quickly, in just two months. Then... nothing happened. Léon Carvalho took two years before he agreed to hear the score. Once he had finally done so, he declared himself quite entranced by the music and decided to have it scheduled for study in his theatre as soon as possible. But, according to Saint-Saëns, he had the 'compulsive habit' (*manie*) of intervening in the works he staged. He wanted to force the composer to put wild animals on the stage, to cut all the music save for the choruses and dances, and then to introduce a leading role in which he would cast his wife, the singer Marie-Caroline Carvalho. However, in the libretto of *Le Timbre d'argent*, the main female part is assigned to a dancer and is a mute role, while the second female lead, the role of Hélène, has rather a low profile. Carvalho also wanted to install an aquarium on stage, into which the singer in question would have to dive to retrieve the bell. Saint-Saëns confessed that he was reduced to despondency by all the director's whims: 'Moreover, since the piece, except for the prologue and the epilogue, takes place in a dream, he took that as his excuse for inventing the strangest tricks.' 'These inanities' took up another two years.

But the rumour gradually got about in the musical world that Saint-Saëns was engaged in a work for the stage. Georges Bizet, who had just produced the vocal score of *Le Timbre d'argent* for Choudens, was under its spell, as he told his friend Ernest Guiraud:

> I've just reduced *Le Timbre d'argent*; it's vintage Auber! – It's charming! Genuine *opéra-comique* with a slight sprinkling of Verdi. What imagination! What inspired melodies! Absolutely nothing of Wagner, of Berlioz, nothing! Nothing! This Saint-Saëns doesn't give a f... ig for us with his opinions. You'll be amazed! Two or three numbers are a bit vulgar in their ideas, but they fit the situation very well, and then they are saved by the immense talent of the musician. It's a real work and he's a real man, that fellow!

Carvalho finally renounced the idea of having his wife sing, the role of Hélène was assigned to Mlle Schroeder, and rehearsals began at the Théâtre-Lyrique in January 1868. They were interrupted... by the theatre's bankruptcy and the departure of its director.

Shortly afterwards, Émile Perrin, then in charge of the Opéra, asked to have *Le Timbre d'argent* for Paris's premier opera house. But to adapt the work to the larger dimensions of that stage required substantial alterations; in particular, all the dialogue had to be transformed into recitative and then set to music. So librettists and composer got back to work again, especially as Perrin also asked for adjustments to certain roles. Relations between the director and the authors then grew complicated, and composer and librettists soon realised that the chances of seeing their work performed at the Opéra one day were dwindling fast.

In the meantime, Camille Du Locle had taken over the management of the Opéra-Comique and persuaded Perrin to hand *Le Timbre d'argent* over to him. The work, originally conceived as an *opéra-comique*, then reworked into a full-blown opera, was now to be turned back into an *opéra-comique*. It is not a question here of two co-existing versions – one with spoken dialogue and the other wholly sung – but of a modification of the same version. So the piece underwent further metamorphoses, and another few months were spent modifying the libretto. Saint-Saëns later recounted, in an article published in 1911:

> We thought we were close to achieving our goal. Du Locle had discovered in Italy a beautiful dancer on whom he counted a great deal; but, alas, the dancer was not one at all; she was a *mime*; she didn't dance. [...] Finally, a real dancer was hired; nothing now seemed to stand in the way of the appearance of this unfortunate *Timbre*. 'It's unbelievable,' I said, 'some catastrophe will happen to get in the way.' What happened was the war [of 1870].

Le Timbre d'argent was therefore stopped in its tracks by the political upheavals linked to the fall of the Second Empire and the installation of the new regime. Du Locle eventually lost interest in the work and, having been unable to find a suitable dancer and corps de ballet, abandoned the idea of producing it. Meanwhile, Saint-Saëns had offered his opera to Stoumon, the director of La Monnaie in Brussels, but without success.

Then came the collapse of the Opéra-Comique, whose director resigned on the grounds of ill health, leaving it in great financial difficulties. Thirteen years after the initial commission, Saint-Saëns found himself back at square one, the composer of a score transformed several times which finally nobody wanted.

However, the Théâtre-Lyrique was taken over by Albert Vizentini, and the Ministry of Fine Arts, casting a kindly eye on the composer's misfortunes, gave the new director a small subsidy to produce the work. *Le Timbre d'argent* thus changed theatres once again and finally began rehearsals, in very unfavourable conditions, as Saint-Saëns himself related in 1911:

> I found myself, as it were, between the Devil and the deep blue sea, and I soon saw the drawbacks of the situation. First it was the hunt for the soprano, the hunt for the tenor; several were tried without success. [...] Each day brought new vexations: cuts were made against my will; I was left at the mercy of the revolts, even the uncouth remarks of the director and the ballet master, who could not bear the most timid observation from me. To get some instruments to play off stage, I had to pay for them. Stage action I requested for the prologue was declared impossible. Moreover, the orchestra was very poor; it was necessary to arrange many rehearsals, which were not refused me, but advantage was taken of this to spread among the public the view that my music was unperformable.

The press had followed the tribulations of *Le Timbre d'argent* throughout all these years of procrastination, and journalists reported the mutilations of the score and the libretto, and the humiliations that Saint-Saëns had to undergo, to the point 'that he wept in the wings'. The work had become 'legendary', and to tell the truth, no one believed in it any more, so often had announcements been made that it was coming soon, that it was postponed, that it had been altered. Arnold Mortier in *Le Figaro* even stated that people showed an interest in it as they would in an invalid, to the point where, when the opera of Saint-Saëns was discussed, it was sometimes referred to as 'Le Timbre au nez d'argent' [The Bell with a silver nose]!

When it was announced that the work was going into rehearsal, mentions in the press became more frequent but not any kinder. It was claimed that the roles had been distributed one after the other 'to all the outstanding artists in Paris' and that certain choristers who had followed the work through all its peregrinations had had to learn it four times from its successive scores, which, moreover, 'could not penetrate the narrow throats of the tenors or the memory of the baritones'. It was also said that:

> M. CSS's pages were the graveyard of such voices as would take the risk of conquering their difficulties; they were the musical equivalent of the quicksand of Mont Saint-Michel. [...] Then it was the orchestra's turn. At the fifteenth rehearsal, the master instrumentalists, conducted by M. Danbé, were still lost in the maze of rhythms and harmonies, in pursuit of elusive sonorities.

But, as Louis de Fourcaud testifies in *Le Gaulois*,

> these rumours, if truth be told, were not of the kind to dampen curiosity, which was whetted more and more as we approached the announced date for this supposedly impossible revelation. I have rarely seen more animated corridors than those of the Théâtre-Lyrique before the curtain rose [...]. There was an incredible to and fro of conversations, a constant exchange of ironical or enthusiastic remarks before anyone had actually seen anything.

Le Timbre d'argent was finally premiered at the Théâtre National Lyrique on 23 February 1877, in its fourth version. The score announces a 'drame lyrique en 4 actes' and the libretto an 'opéra fantastique en 4 actes et 8

tableaux'. The subject in itself is neither very original nor very complicated, and the narrative thread – in the same vein as that of *Faust*, and
from the pens of the same librettists – was already well known. In addition to a central character, Conrad – rather unsympathetic and ready to
sacrifice everything, even the lives of his loved ones, to obtain the gold
that will serve to conquer the dancer with whom he is in love – the libretto
also features a 'mute' leading role that is danced throughout, Fiametta;
two fairly substantial male roles, Spiridion (who undergoes several metamorphoses) and Conrad's friend Bénédict; and two less developed female
characters, Hélène (Conrad's fiancée, whom he abandons for Fiametta)
and her sister Rosa (Bénédict's fiancée).

The alternation between dream and reality presented by the libretto
lent itself well to staging in that it offered a great diversity of tableaux,
providing scope for the deployment of stage machinery and multiple costumes and sets, two of which caused a sensation at the premiere: one rep-
resented the auditorium of the Vienna Court Opera viewed by spectators
on stage, as in a mirror effect; the other was the interior of a rich Florentine
palace, where a magnificently laid and illuminated table emerged from
the ground as if by magic.

Everyone who was anyone in Paris musical circles thronged to the
premiere; spectators of particular note were Gounod, who led the applause,
and Massenet, whose warm letter of congratulations to the composer was
reproduced in the press: 'You are the master of us all and once again you
prove it in brilliant fashion.' The reception of the work gave rise to an
abundant literature, since no fewer than seventy articles were published
in the press between 26 February and 6 March 1877.

If the critics were unanimous in praising the lavishness of the staging, on which the management of the Théâtre-Lyrique had not skimped,
they were equally agreed in acknowledging that the cast was not com-
mensurate with the quality of the score and left a great deal to be desired:
only the baritone Léon Melchissédec, who played the role of Spiridion,
and the tenor Caisso, who sang Bénédict, were singled out for praise. The
tenor Blum was inadequate in the role of Conrad, as were the two women,

whose voices were not found appealing. Moreover, the part of Hélène, written for a soprano, was sung by a mezzo making her debut, Caroline Salla, whose voice was insecure in this higher tessitura. Naturally, the press concluded that Saint-Saëns could not write for voices. On the other hand, the performance of the dancer, Adeline Théodore, was a great success. The orchestra conducted by Jules Danbé also received plaudits for having surmounted this 'difficult score'. As for the libretto, the critics were favourable on the whole, but they noted that the audience did not always follow the transitions between dream and reality very well.

Opinions differed widely, however, when it came to the music itself. Some writers observed that it had been composed thirteen years previously and that the composer's style had evolved in the meantime. Others saw the influence of Gounod, Auber, Weber, Beethoven or Wagner. Some heard melodies in the piece, which provoked sarcastic comments since Saint-Saëns, who had been placed in the category of the 'algebraists' and 'harmonists', was supposed a priori to be incapable of producing such a thing. Others heard nothing, and accused the composer of drowning the voices in a fog of confusion.

This being the case, one may wonder if the work was perceived as being so 'modern', strange, divergent, as finally to become disturbing? Saint-Saëns had conceived the idea of adjusting his musical style to suit the dramatic situations, and this, in any case, was misunderstood. For example, in the first scene, which takes place in the painter's studio, Conrad is sick and feverish, and hears coming from outside a Carnival chorus whose noise he finds unbearable. Saint-Saëns deliberately composed unpleasant music, a chorus in bad taste with clumsy word-setting, in order to translate Conrad's delirium into musical terms, and thus to convey music distorted by fever; but the audience did not grasp this subtlety and only heard a poorly written chorus.

Saint-Saëns's true ambition in creating this score was nothing less than to develop further, to remodel, the very form of *opéra-comique*. Deeming that his work had been badly received, he felt it necessary to explain his intentions, and did so in three articles published in 1879 (*La*

Nouvelle Revue), in 1911 (*L'Écho de Paris*) and finally, in 1914, in a brochure issued by Choudens et fils for the revival of the work in a revised version at the Théâtre de la Monnaie in Brussels.

> ... this work, which was at that time an *opéra-comique* mixed with dialogue, nevertheless appeared as revolutionary and prodigiously 'advanced'. In those days [1864], operas were not divided into scenes, but into 'numbers', almost all cast in the same mould that musicians meekly adopted. The composer of *Le Timbre d'argent*, who, long before he knew the works of Richard Wagner, dreamed of operas divided into scenes of various forms and not into numbers of a uniform cut, had broken the moulds that his librettists had given him, and constructed his numbers with complete freedom. Add to this the considerable role assigned to the orchestra, the characteristic motifs circulating throughout the work like blood in the veins and changing according to circumstances, and you will not be surprised that the composer was regarded as dangerous and even 'Wagnerian', which was then almost an insult.

With *Le Timbre d'argent*, his official debut on the operatic stage in a major work, Saint-Saëns was playing for high stakes. It will be recalled that *Samson et Dalila* had already been written several years previously and no opera manager wished to produce the work (it was only thanks to Franz Liszt's support that it had its premiere in Weimar on 2 December 1877). If *Le Timbre d'argent* was a failure, the theatres would probably be inaccessible to him for a long time to come, and that is why he showed such genuine commitment to this score. The libretto was not ideal, but the diversity of the situations it depicted allowed him to display all his skills. *Le Timbre d'argent* was thus to serve him as a testing ground. Saint-Saëns had ideas about opera, ideas for innovations, and he wanted to apply them in this specific work, to prove himself, to demonstrate that a performer could also be a composer, and that a 'symphoniste' could also write for the theatre. It was a first attempt, yet it had to be a masterstroke. He found it difficult to live through these thirteen years of preparation, frustrated by the caprices of opera managements, by the bankruptcies of theatres, by the unwillingness of singers, by political events, and finally by a press very often ill-disposed towards him both aesthetically and politically, which took full advantage of a chance to make him pay both directly for his admiration for the works of Wagner – of which he was at the time a fierce defender – and indirectly for his republican sympathies.

The work was given eighteen times at the Théâtre-Lyrique, after which it enjoyed a chequered career. It was revived in 1879 at the Théâtre de la Monnaie for twenty performances, and should also have been performed at the Théâtre-Italien in St Petersburg, where Albert Vizentini had the intention of producing it. Saint-Saëns wrote to him on 12 November 1880:

> You ask me to do *Le Timbre d'argent* again. Do you realise that this would be the *sixth* version? It's not an opera any more, it's a nightmare. Well, all the same, I won't say no. I have boxes full of music written for this damned work; we'll fix it up the way you want it.

But it was not until 1904-05 that the opera reappeared, in Germany and in a revised version. Then it was seen in Monte Carlo in 1907, for three performances, in a version truncated by a whole act but with a very fine cast. *Le Ménestrel* noted on that occasion the great success obtained by 'a remarkable score whose first performance in Paris dates back some thirty years and whose subsequent neglect musicians have never been able to account for'. The last performance during the composer's lifetime was given in Brussels in March 1914. Saint-Saëns was obviously very keen to see his work resurrected in a form that could guarantee its posterity more effectively, since, fifty years after starting to write the score, he was still working on it. As a preamble to this new version with recitatives, he informed the listener that the opera had been completely revised, that he had deleted some passages and added a great deal of new music. *Le*

Timbre d'argent had changed shape once more, and what had been an *opéra-comique* had become a *grand opéra*:

> There is a bit of everything in this work, which ranges from symphony to operetta by way of lyric drama and ballet. The composer has nonetheless striven to give it a certain unity: only the public can judge whether he has succeeded.

Waltz by Métra on themes from *Le Timbre d'argent*.
Private collection.

**Valse de Métra sur *Le Timbre d'argent*.
Collection particulière.**

Much more than a trial run...

Gérard Condé

The error would doubtless be to expect the score of *Le Timbre d'argent*, Camille Saint-Saëns's trial run in the field of opera, to present the aspect of a work planned, matured and set down on paper without any concern for the general audience to whom, by definition, delicate pleasures are a closed book. The truth is quite different, as is explained elsewhere in the present volume, and Saint-Saëns himself detailed the vicissitudes which succeeded one another from the commission, in 1864, until the premiere, at the Théâtre National Lyrique on 23 February 1877.

We will not seek to disentangle what this fanciful imbroglio, undertaken to cock a snook at academicism and the Prix de Rome he had been unjustly denied, finally gained or lost in becoming a 'fantastic-oneiric lyric drama' in the course of its metamorphoses. Its initial state no longer exists, except in the form of a vocal score, and we will hear only what still found favour when judged by the rigorous standards of an eighty-year-old creator and critic. And what a critic! For, in his activity as an operatic composer, Saint-Saëns seems to have felt a kind of condescending pride in complying with the requirements most antipathetic to his style. A task he performed shamelessly, considering that 'opera is to music what brothels are to love', to use the expression of his mentor and friend Hector Berlioz.

Generally speaking, Saint-Saëns, who likes to pretend to be an academician, is fond of conventions, which offer the ideal opportunity to assert his originality, indeed his superiority. He also excels in genre pieces such as the rustic dance (in Act Three) with solo oboe over a pedal point in ostinato rhythm, the height of blithely accepted cliché. He invests greater finesse in pastiches: 'Le bonheur est chose légère', introduced at the request of Caroline Miolan-Carvalho to flesh out an almost non-existent role, is one. The title 'Romance' does not lie, but, already so out of fashion as to constitute a provocation in the years 1860s and 1870s, it was maintained right up to the last edition, even though there the work is divided into scenes and no longer into numbers, an opportunistic concession of Saint-Saëns to the prevailing Wagnerism while feigning to revert to the structure of the operas of Lully and Rameau.

At the time of its creation in 1877, this *romance* in G major with a middle section in G minor (*A*-*B*-*A'*) respected the conventions of the genre, adding only a few harmonic coquetries unknown to Monsigny or Dalayrac. The model should rather be sought in Rameau, Campra or Destouches – who did not write *romances*, but 'airs tendres' (the performance marking 'Tendrement' probably refers to this). For later revivals, Saint-Saëns added a second 'middle section' (*B'*) and modified the last reprise (*A''*), so that the supposed *romance* becomes almost an 'air en rondeau' (*A*-*B*-*A'*-*B'*-*A''*): one more step towards the 'retrospective style' as it was then called, confirmed by the addition, for *A''*, of some embellishments of the vocal line in obedience to the outmoded practice of varying the repeats. The presence of an onstage violinist was not rare in the theatre (and was always touching, according to George Sand); but in the opera house, the orchestra had probably never been seen to remain silent for so long!

One could multiply such examples, for the declared purism of the composer of *Danse macabre* and *Le Carnaval des animaux* is nourished by an intimate knowledge of the resources of impurity. While declaring to lovers of expression, 'Art is form. The artist who does not feel fully satisfied with elegant lines, harmonious colours, a fine chord progression does not understand art', he had, with the same pen, defended the principle of Liszt's symphonic poems: 'I can see very well what art gains from them; it is impossible for me to see what it loses.' If ever we find faults in *Le Timbre d'argent*, we can be sure that he saw them first, but that he endorsed, signed, proofread and approved them!

Saint-Saëns must even have slipped in a few nods to Auber, who obtained the commission from him as compensation for the unspeakable way in which he had been refused the Prix de Rome: the *Pas de l'abeille*, for example, in which the somewhat grating tremolos on the bridge of a solo viola explicitly imitate the buzzing of the bee; but also the vivacity of tone and a playful detachment. Finally – even if we do not know the original destination of the libretto, if it was deliberately chosen by Auber, and whether it was offered to or imposed upon the composer – would not the mute role of Fiametta be well suited to performers of the part of Fenella in *La Muette de Portici*? Like Auber in that hallowed work, Saint-Saëns has the instruments 'speak' in such a way that they inspire the movements of a pantomime corresponding to a text that will not be uttered: 'I love you! I love you! No! It is not a dream and I am not lying to you! I love you, come, let us go!' Over caressing harp arpeggios, the violins spin out a long melody that turns voluptuously in on itself. Inexpressive, Saint-Saëns? Certainly, when he intends to be...

If not everything in *Le Timbre d'argent* has the same value, or the same dramatic necessity, as in *Samson et Dalila* or *Henry VIII*, the score contains enough remarkable and/or inspired pages to ensure that the attention does not flag: Bénédict's tender *Mélodie* 'Demande à l'oiseau'; Conrad's agitated *Air* 'Dans le silence et l'ombre', so original even to its accompaniment of muted strings (even at the *forte* 'À vous, Rois de la terre' where one might rather expect trombones!); Conrad's *Cavatine* 'Nature souriante' and the ensuing duet with Hélène, charming in its vivacity and delightfully written, as if at needlepoint; Spiridon's *Ballade* and waltz 'Sur le sable brille'.

One might mention other entire numbers (the Entr'acte that precedes the second raising of the curtain, scored for woodwind only – like the Prelude to Berlioz's *Les Troyens* – with the addition of a harp) or specific passages but, however incomplete it may be, this selection is addressed only to music lovers capable of embracing a fairly wide aesthetic spectrum, because, as Saint-Saëns admitted at the time of the premiere of the revised version at La Monnaie in 1914: 'There is a bit of everything in this work, which ranges from symphony to operetta by way of lyric drama and ballet.'

By emphasising the symphonic dimension of *Le Timbre d'argent*, whereas he was still obliged to deny it in 1877 when it seemed established wisdom that a 'symphonist' could not write a valid work for the opera house, Saint-Saëns takes a well-deserved revenge and positions himself in the direction of the wind that was blowing from Bayreuth. When he says 'symphony,' he is probably referring to the overture. In its original state, in 1877, this resembled a series of waltzes (after all, the action takes place in Vienna!) in different characters, colours and keys rather than the sonata structure that the tonal and thematic progression hinted at. After the prem-iere, Saint-Saëns realised that he had not made sufficient use of a rather gawky transitional motif and he added a development in which the confrontation of the themes confers on them the life that was lack-ing in their well-ordered succession of waltzes. But he refrained from os-sifying this brilliant, agile movement by giving it a regular recapitulation, and instead an unexpected coda brings it to a close without warning.

On the other hand, it is difficult to follow Saint-Saëns when, in the same article, he underlines 'the characteristic motifs circulating through-out the work like blood in the veins and changing according to circum-stances'. This vain desire to present himself as a modern composer verges on imposture. For the most salient themes, those of 'the Picture' and 'Fiametta' (both heard in the overture), 'Circé', 'the Bell', 'Conrad's Daydreams' and 'Conrad's Anger', belong to the very French tradition of 'reminiscence motifs', introduced as circumstances dictate, rather than leitmotifs on which the orchestral texture is based. It is true that the recita-tives, composed after the event to replace the spoken dialogue, are gar-nished with more or less prominent quotations from some of the motifs mentioned above or others that were added later, such as 'the Tiara', which might also be called more broadly 'Love of Luxury' – 'love' because of the melodic sensuality of the motif and 'luxury' conceived as the antith-esis of unselfish and authentic art: the luxury object is intended only for outward appearance, it is a chimera, whereas the art object is indifferent to appearance; it 'is', beauty is its *raison d'être*, while that of the luxury object is merely to 'appear'.

A detail, indeed perhaps only a hypothesis, but one that would back up Saint-Saëns's concern to give the subject of his work a deeper meaning than it may superficially possess; a meaning a little heavy for its frail shoulders to bear, but better justifying the subtitle 'Drame lyrique'. Writing in 1914, he claimed:

> Indeed, there is no intrigue, and the piece would have little meaning if one did not perceive that its true subject is nothing else than the struggle of an artist's soul against the vulgarities of life, his inability to live and think like everyone else, however much he may want to. The ideal of the artist lies in art; his human nature prompts him to seek it elsewhere and he will never find it, because art, though based on Nature, is not Nature, and the artist, if he imprudently seeks his ideal in Nature, can only encounter illusions there.

In support of this, Saint-Saëns gives the example of the chorus 'Carnaval! Carnaval!', sung offstage in Act One and 'written in a style whose vulgarity, odious to the artist, is destined to infuriate him: it is in bad taste and the words are badly set'. But one would have to look twice to be as categorical as that. He might have done better to cite Spiridion's *Chanson napolitaine* 'De Naples à Florence' or the drinking song 'Vivat! Vivat! Vive le vin'... This would be to forget the coquetry of Saint-Saëns, who, highly conscious of his superiority, admitted as defects only such as would pass for qualities in so many others. Are the words really badly set in this chorus? All right, let us concede the point. But *deliberately* badly set? That is less sure, because he was not heavy-handed enough in carrying out his intention, and there would lie the real flaw: the effect does not come off. An unpublished early *romance*, *Lamento* (1850) on Gautier's poem ('Ma belle amie est morte'), would suffice to reveal his bad faith here: wishing to write a 'real' fisherman's song, the sort one hums without excessive emotion because the tune is running through one's head and one has no bereavement to lament, Saint-Saëns was not content to write a simple melody; he placed strong syllables on weak beats, as in folk style, but, so that the singer would not mistake his intention, he wrote an accent above them. There is nothing like this here. As for the 'true subject' of *Le Timbre d'argent* ('the struggle of an artist's soul against the vulgarities of life'), fortunately one does not have to believe in it to fall under the spell of a score that simply begs us to do so.

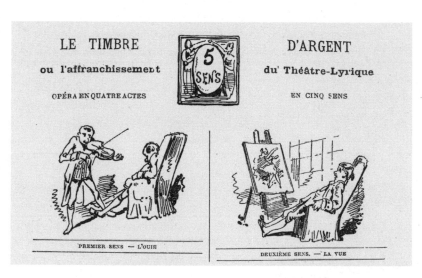

Caricatures of *Le Timbre d'argent* in the illustrated press.
Private collection.

Caricatures du *Timbre d'argent* dans la presse illustrée.
Collection particulière.

A word from the composer

Camille Saint-Saëns

On three occasions in his career, Camille Saint-Saëns explained the genesis and artistic aspirations of an opera that was particularly close to his heart. The article of May 1911 and the programme note of January 1914 are especially enlightening. These two texts, partially reproduced below, were published in 2012 by Marie-Gabrielle Soret in *Camille Saint-Saëns, Écrits sur la musique et les musiciens.*

'THE STORY OF AN OPÉRA-COMIQUE' [MAY 1911]

Carvalho gave me *Le Timbre d'argent*, which he did not know what to do with, several composers having refused it. There were good reasons for that; along with an excellent subject matter, very well suited to music, this libretto presented enormous defects. I requested substantial changes to which the authors, Barbier and Carré, agreed at once, and, having withdrawn to the heights of Louveciennes, in two months I drafted the five acts that the work originally comprised.

It took me *two years* to get Carvalho to agree to hear my music. Finally, weary of my solicitations and determined to get rid of me, Carvalho invited me to dinner with my score: and after dinner, I found myself at the piano, M. Carvalho on one side, Mme Carvalho on the other, both extremely gracious, but with that sort of graciousness whose hidden meaning could not escape me. They had no idea what was waiting for them. Both of them genuinely loved music; and, little by little, they fell under the spell of mine; seriousness replaced perfidious amiability; and in the end, it was enthusiasm! Carvalho declared that he would have the work scheduled for study as soon as possible; it was a masterpiece, it would be a great success; but to ensure that success, Mme Carvalho must sing the leading role. Now, in *Le Timbre d'argent*, the leading role is for a dancer, and the female singer's role was a very subsidiary one. That didn't matter, he said, we would develop the role. Barbier invented a nice situation to introduce the number 'Le bonheur est chose légère'; but this was not enough. Barbier and Carré racked their brains without finding anything; for, in the theatre as elsewhere, there are problems that admit of no solution. Meanwhile, we were looking for a first-rate dancer; in the end we had found one, recently retired from the Opéra, although she was still in the full bloom of her beauty and talent. And we were still looking for a way to make the role of Hélène worthy of Mme Carvalho.

The famous director had a compulsive habit: he wished to collaborate on the works he performed in his theatre. Even if it was a work consecrated by time and success, it had to bear his stamp; and all the more so if it was a new work. He would abruptly announce that you had to change the period or the country where you had situated the action of your piece. For a long time he pestered us with requests to make the dancer a singer, whom his wife would play; later, he wanted to introduce a second dancer alongside the first one. Since the piece, except for the prologue and the epilogue, takes place in a dream, he took that as his excuse for inventing the strangest tricks; did he not suggest to me one day that we should introduce wild animals? On another occasion, he wanted to delete all the music, except for the choruses and the role of the dancer, with the rest to be performed by a troupe of actors. As *Hamlet* was then being rehearsed at the Opéra and the rumour was going around that Mlle Nilsson would play an aquatic scene, he wanted Mme Carvalho to swim down to the bottom of a river to look for the fatal bell. Two more years went by with these inanities.

Finally, it was decided to dispense with Mme Carvalho's participation; the role of Hélène was entrusted to the beautiful Mlle Schroeder and rehearsals began. They were interrupted by the bankruptcy of the

Théâtre-Lyrique. Shortly afterwards, Perrin asked for *Le Timbre d'argent* for the Opéra. The adaptation of the work to that large stage demanded significant modifications; all the dialogue had to be set to music; the composers got down to the job. Perrin was going to give us Mme Carvalho for Hélène, M. Faure for Spiridion; but he wanted to make the tenor part a trouser role for Mlle Wertheimber; he wished to engage her, and had no other role to offer her. This transformation was impossible. After several bouts of negotiation, Perrin gave in to the stubborn refusal of the authors; but I saw clearly from his attitude that he would never perform our piece. Du Locle then took over the management of the Opéra-Comique, and seeing that his uncle Perrin would not make up his mind to put on *Le Timbre d'argent*, he asked him for the work. This meant a further metamorphosis of the piece, and a considerable additional workload for the composer. That work was by no means easy to accomplish. Barbier and Carré, hitherto as inseparable as Orestes and Pylades, had quarrelled; what one proposed was systematically rejected by the other; one remained in Paris, the other in the country; and I went from Paris to the country, from the country to Paris, trying to get these feuding brothers to agree. This shuttling to and fro lasted all summer, after which the ephemeral enemies managed to patch up their differences and became friends again as before. We thought we were close to achieving our goal.

Du Locle had discovered in Italy a beautiful dancer on whom he counted a great deal; but, alas, the dancer was not one at all; she was a *mime*; she didn't dance. As there was no longer time to look for another one for the season, Du Locle, to keep me busy in the meantime, had me write with Louis Gallet *La Princesse jaune*, which was my debut in the theatre; I had reached the age of thirty-five. This innocent little work was greeted with the most ferocious hostility. 'One does not know', wrote Jouvin, then a feared critic, 'in which key, in which metre the overture is written.' And, to show me how wrong I had been, he informed me that the audience was 'a compound of angles and shadows'. His prose was certainly more obscure than my music. Finally, a real dancer was engaged in Italy;

nothing now seemed to stand in the way of the appearance of this unfortunate *Timbre*. 'It's unbelievable,' I said, 'some catastrophe will happen to get in the way.' What happened was the war.

'LE TIMBRE D'ARGENT'
[JANUARY 1914]

The first performance of *Le Timbre d'argent* dates back some forty years. It is therefore music after the fashion of a bygone age. Not quite so, however, because this work, which was at that time an *opéra-comique* mixed with dialogue, nevertheless appeared as revolutionary and prodigiously 'advanced'. In those days, operas were not divided into scenes, but into 'numbers', almost all cast in the same mould that musicians meekly adopted. The composer of *Le Timbre d'argent*, who, long before he knew the works of Richard Wagner, dreamed of operas divided into scenes of various forms and not into numbers of a uniform cut, had broken the moulds that his librettists had given him, and constructed his numbers with total freedom. Add to this the considerable role assigned to the orchestra, the characteristic motifs circulating throughout the work like blood in the veins and changing according to circumstances, and you will not be surprised that the composer was regarded as dangerous and even 'Wagnerian', which was then almost an insult. Although there were airs and even *romances* in *Le Timbre d'argent*, it was thought that melody was absent; today the opposite opinion may perhaps prevail.

Le Timbre d'argent does not claim to be anything other than a light work: yet this lightness conceals some depths that certainly make it more operatic than a comedy of intrigue. Indeed, there is no intrigue, and the piece would have little meaning if one did not perceive that its true subject is nothing else than the struggle of an artist's soul against the vulgarities of life, his inability to live and think like everyone else, however much he may want to. The ideal of the artist lies in art; his human nature prompts him to seek it elsewhere and he will never find it, because art, though based on Nature, is not Nature, and the artist, if he imprudently seeks his ideal in Nature, can only encounter illusions there.

Conrad initially thought he had found his ideal fulfilled in Fiametta, without seeing that the Circé created by his brush is that ideal and Fiametta is only its shadow. Dragged by the dancer into a life of luxury and debauchery, he meets only disappointment, crime and madness; the authors have transposed into a dream what would happen in reality. Cured of this fatal passion, restored to reason, he believes he will find happiness in the love of the chaste and affectionate Hélène; he will not find it there either, and another drama following on from this one could show us Conrad wearying of Hélène's virtues just as he did of the vices of Fiametta, and Hélène despairing at her inability to satisfy an insatiable soul for whom ordinary life is insipid and without interest.

The work has changed in appearance, the dialogue has disappeared, the *opéra-comique* has become a *grand opéra*. There remain from its original form the airs, duets and *romances*, which are no longer fashionable today but may perhaps become so again tomorrow. One of them, 'Le bonheur est chose légère', has often been heard in concerts. Once, at the time when there was a project to perform *Le Timbre d'argent* at the Opéra under the management of Émile Perrin, the composer was playing through his music for that famous director. Perrin stopped him at the chorus 'Carnaval! Carnaval!', sung offstage in the first act. 'That doesn't sound as if it's by you!', he said. Perrin displayed great perspicacity there. For this chorus, which provokes Conrad to a violent crisis, is written in a style whose vulgarity, odious to the artist, is destined to infuriate him: it is in bad taste and the words are badly set. We will meet it again in the last act, further developed in the great Carnival that brings Conrad's madness to its paroxysm.

The same contrast is visible in the entire work: it is easy to discern the discrepancy between the painter's ideal Circé and the Circé embodied by the dancer. Twice, in the presence of the painting, we hear a phrase that symbolises the artist's lofty aspirations; when the picture comes to life, the horn plays the first notes of the phrase, first in the major mode, then in the minor; then Circé leaps out of the frame and at once we are in another world; it is no longer Conrad's dream of artistic purity. Things grow still worse in the third act, when Fiametta seduces him again, accompanied by a phrase in an overwrought melodic style, more passionate than aesthetic. Yet he succumbs: at the same time as she drives him to crime, the enchantress makes him deny his artistic convictions; and that is very human. Do we not see every day men with a brilliant education, hitherto perfectly honourable, wallowing in the worst infamies under the influence of a woman of the most vulgar sort?

All of this belongs to the domain of the symbolic and must necessarily escape a spectator who is not forewarned. It should not be forgotten that the composer, when he originally conceived his work, was still at the age when one has illusions; he has since lost them, and has convinced himself that it is inappropriate to give the audience riddles to be deciphered when a work is presented on stage; and that if one does permit oneself to have recourse to symbolism, it is on the condition that it should be of the kind that can be understood effortlessly, as in *Samson et Dalila* and *Hélène*. In the meantime, the theatre was developing in the opposite direction and symbolism was acquiring increasing favour there, without always being successful: there were some disappointments. Dumas fils, in the preface to *La Femme de Claude*, was almost indignant that the mysteries he had concealed therein had not been fathomed; despite long and persistent efforts, certain symbolic works have been unable to overcome general indifference; a few others have been luckier. If truth be told, there is a kind of perverse delight to be had in the production of works that we know to be inaccessible. 'Part Two of my *Faust*', Goethe said, 'contains things that only God and I understand; when I die there will be only God.' Others have gone further and written entire poems that only they could understand. This state of mind is not unique to our age: in the sixteenth century, Italian poets wrote verse entirely without regard to the meaning of the words. Nowadays, 'perverse delight' is gaining even the public, which is acquiring a taste for the incomprehensible; some people disdain what they understand and instead plunge themselves headlong into mystery. Since art is in itself a mystery, the mysterious suits it, so much is undeniable: however, in this matter as in everything, it is perhaps prudent not to exaggerate...

The composer has completely revised *Le Timbre d'argent*; he has deleted some passages, added a great deal of new music, and reinstated and rescored the first tableau of the last act which was deleted from the very outset, even though it was indispensable in order to explain the *Ballade* sung by Spiridion in the ensuing tableau. There is a bit of everything in this work, which ranges from symphony to operetta by way of lyric drama and ballet. The composer has nonetheless striven to give it a certain unity: only the public can judge whether he has succeeded.

Camille Saint-Saëns on the beach at Dieppe around 1910.
Musica.

Camille Saint-Saëns sur la plage de Dieppe vers 1910.
Musica.

Synopsis

ACT ONE

One Christmas Eve, the painter Conrad is lamenting his destitute condition, despite the support of his friend Bénédict, his doctor Spiridion and his sweetheart Hélène. Fascinated by a dancer he painted in the guise of the enchantress Circe, Conrad accuses Spiridion of bringing him bad luck and then faints. In a dream, he sees his Circé dancing and meets the doctor, who presents him with a silver bell. Every time he rings it, he will gain riches, but at the price of a loved one's death. When Conrad wakes up, he strikes the bell: a shower of gold promptly appears, but Hélène's father collapses, lifeless.

ACT TWO

In the theatre, the dancer Fiammetta receives gifts from Conrad and Spiridion, now transformed into a marquis. They each promise her a palace and challenge each other at the gambling table. The Marquis then transforms the stage into a Florentine palazzo laid out for a banquet. Conrad, furious at having lost, plunders the feast in order to resist the temptation of using the silver bell.

ACT THREE

In the cottage Conrad has given to Hélène and her sister Rosa, the latter is getting ready for her wedding to Bénédict. Conrad has buried the bell in the garden but Spiridion and Fiammetta appear to tempt him. Changed

into gypsies, they invite themselves to the wedding to dance. Conrad strikes
the bell again and Bénédict falls dead.

ACT FOUR

Drawn to the lake into which he has thrown the bell, Conrad resists the
Sirens. Spiridion conjures up a ballet in which Circé gives a brilliant performance. Conrad invokes Hélène. The ghost of Bénédict gives him the
bell, which he finds the strength to shatter. In his studio, Conrad wakes
from his dream. He proposes marriage to Hélène and accepts a modest
and laborious destiny.

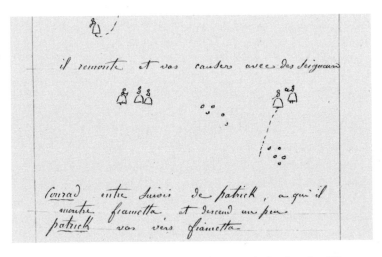

Detail of the staging manual indicating the choreography for the role of Fiametta.
Bibliothèque Nationale de France, Paris.

**Détail du livret de mise en scène réglant la chorégraphie du rôle de Fiametta.
Bibliothèque nationale de France.**

Le Timbre d'argent

Drame lyrique en 4 actes sur un livret de Jules Barbier et Michel Carré,
achevé en 1865 et créé le 23 février 1877 au Théâtre National Lyrique à Paris.
Version revue par le compositeur à l'occasion de la reprise de l'œuvre au Théâtre de
la Monnaie de Bruxelles, en mars 1914. (Éditions Choudens.)

PERSONNAGES :

HÉLÈNE   ROSA, *sa sœur*   CONRAD, *prétendant d'Hélène*
BÉNÉDICT, *ami de Conrad et fiancé de Rosa*   SPIRIDION   CIRCÉ-FIAMETTA, *danseuse**
FRANTZ   PATRICK   UN MENDIANT   UN MAÎTRE DE BALLET
*Étudiants, jeunes Seigneurs, Mendiants, Bourgeois et Gens du peuple, Paysans,
Valets, Masques, Nymphes, etc.*

La scène se passe à Vienne, en Autriche, costumes du XVIIIe siècle.

**Aux 1er et 4e actes, Circé.*
Aux 2e et 3e actes, et au 1er tableau du 4e acte, Circé devient Fiametta.

Le Timbre d'argent

Lyric drama in four acts on a libretto by Jules Barbier and Michel Carré,
completed in 1865 and premiered on 23 February 1877 at the Théâtre National Lyrique,
Paris. Version revised by the composer for the work's revival at the Théâtre de la Monnaie
in Brussels in March 1914. (Éditions Choudens.)

DRAMATIS PERSONÆ:

HÉLÈNE   ROSA, *her sister*   CONRAD, *Hélène's suitor*
BÉNÉDICT, *Conrad's friend, engaged to Rosa*   SPIRIDION   CIRCÉ-FIAMETTA, *dancer**
FRANTZ   PATRICK   A BEGGAR   A BALLET MASTER
*Students, Young Lords, Beggars, Burghers and Townspeople, Country People,
Valets, Maskers, Nymphs, etc.*

The scene is set in Vienna, in eighteenth-century costume.

**In Acts One and Four, Circé.*
In Acts Two and Three and the first tableau of Act Four, Circé becomes Fiametta.

CD I

Acte premier

L'atelier de Conrad. Pans coupés, l'un occupé par une porte donnant sur la rue, l'autre par une large fenêtre à petits vitraux. Au fond, un tableau représentant une femme en costume de Circé. À gauche, une petite porte. Sur le premier plan, fauteuil et table. On voit tomber la neige à travers les vitres.

01 OUVERTURE

Scène 1
Chœur d'Étudiants puis Bénédict

(Les jeunes gens entrent joyeusement en scène ; quelques-uns sont en dominos masqués.)

02 LE CHŒUR, *au-dehors*
Nuit d'ivresse et de fête !...
Holà ! Conrad ! Viens avec nous.
En dépit des censeurs jaloux,
Le plaisir chante
et le festin s'apprête.
Noël ! Noël ! Nuit d'ivresse
et de fête !...
Holà ! Conrad ! Viens avec nous.

BÉNÉDICT, *entrant par la gauche*
Silence !

LE CHŒUR
Bénédict !

BÉNÉDICT
Hélas ! Ignorez-vous
Que notre ami Conrad
à la fièvre est en proie ?
Portez ailleurs vos cris de joie.

Act One

Conrad's studio. Two cut-out panels, one occupied by a door leading into the street, the other by a large window with small panes of stained glass. In the background, a painting of a woman dressed to resemble the enchantress Circe. On the left, a small door. In the foreground, an armchair and a table. Through the windows we can see snow falling.

OVERTURE

Scene 1
Chorus of Students, then Bénédict

(The young people come joyfully onto the stage; some are disguised as masked dominoes.)

CHORUS, *outside*
Night of intoxication and celebration!
Hey there! Conrad! Come with us.
In spite of jealous censure,
Pleasure sings
and the feast is about to begin.
Noël! Noël! Night of intoxication
and celebration!
Hey there! Conrad! Come with us!

BÉNÉDICT, *entering from the left*
Quiet!

CHORUS
Bénédict!

BÉNÉDICT
Alas! Are you unaware
That our friend Conrad
is in the grip of a fever?
Take your cries of joy elsewhere.

LE CHŒUR Pauvre Conrad !... Que nous dis-tu ?	CHORUS Poor Conrad! What's that you say?
BÉNÉDICT De fantômes son âme est pleine, Rosa, ma fiancée, avec sa sœur Hélène Cherchent à relever son esprit abattu ; Vains efforts ! Espérance vaine ! Le vieux docteur debout à son chevet L'observe et j'attends son arrêt. C'est lui.	BÉNÉDICT His soul is beset by phantoms. My fiancée Rosa and her sister Hélène Are trying to raise his dejected spirits; Vain efforts! Vain hopes! The old doctor is standing at his bedside Examining him, and I await his verdict. Here he is now.
LE CHŒUR Silence !	CHORUS Silence!
(Le docteur Spiridion entre en scène. Il est habillé de noir. Costume sévère. Hélène et Rosa le suivent.)	*(Dr Spiridion enters. He is dressed in a severe black costume. Hélène and Rosa follow him.)*

Scène 2 *Les mêmes, le Docteur Spiridion, Hélène, Rosa*	Scene 2 *The same, Docteur Spiridion, Hèlène, Rosa*

03

BÉNÉDICT, *à Spiridion* Eh bien ?	BÉNÉDICT, *to Spiridion* Well then?
SPIRIDION Toujours de même : Son mal vient de l'esprit.	SPIRIDION Always the same thing: His illness comes from the mind.
BÉNÉDICT Que dites-vous ?	BÉNÉDICT What are you saying?
SPIRIDION Il aime l'argent.	SPIRIDION He loves money.
BÉNÉDICT Hélas !	BÉNÉDICT Alas!
SPIRIDION Il en a fait Le but unique de sa vie.	SPIRIDION He has made it The sole purpose of his life.

BÉNÉDICT Il est vrai.	**BÉNÉDICT** That's true.
SPIRIDION D'un regard d'envie Il suit l'opulence.	**SPIRIDION** He looks on in envy When he sees opulence.
BÉNÉDICT En effet.	**BÉNÉDICT** Yes indeed.
SPIRIDION De là sa raison affaiblie Où quelque lueur brille encore. De là ses accès de folie ; Sa fièvre est la fièvre de l'or.	**SPIRIDION** Hence his weakened reason Where some sparks of sanity still flicker. Hence his fits of madness; His fever is gold fever.
BÉNÉDICT ET LE CHŒUR Le malheureux !... Que faire ?	**BÉNÉDICT, CHORUS** Poor unfortunate soul... What can we do?
SPIRIDION Rien.	**SPIRIDION** Nothing.
BÉNÉDICT, HÉLÈNE, ROSA Rien.	**BÉNÉDICT, HÉLÈNE, ROSA** Nothing!
HÉLÈNE, *à part* Mon Dieu ! C'est en toi que j'espère.	**HÉLÈNE**, *aside* O God! In thee I trust.
SPIRIDION, *s'arrêtant devant le tableau* Charmant !... De qui ?	**SPIRIDION**, *stopping in front of the painting* Charming! Who is it by?
BÉNÉDICT De lui.	**BÉNÉDICT** By him.
SPIRIDION En vérité ?	**SPIRIDION** Really?
(Tous se regroupent devant le tableau.)	*(They all stand in front of the picture.)*
BÉNÉDICT Ah ! s'il avait eu le courage De supporter sa pauvreté !...	**BÉNÉDICT** Ah, if he had had the courage To endure his poverty!

SPIRIDION, *examinant le tableau*
Belle peinture !... C'est dommage.
À demain ; ne le quittez pas.

SPIRIDION, *examining the picture*
A fine painting! Such a pity.
I'll see you tomorrow; don't leave him.

BÉNÉDICT
Craignez-vous pour ce soir
une crise nouvelle ?

BÉNÉDICT
Are you afraid
of a new crisis tonight?

SPIRIDION
Oui, vers minuit.

SPIRIDION
Yes, around midnight.

BÉNÉDICT
Et quand cessera-t-elle ?

BÉNÉDICT
And when will it end?

SPIRIDION
Au jour naissant ; adieu.
(s'arrêtant de nouveau devant le tableau)
Belle peinture !
(Il sort.)

SPIRIDION
With the dawn. Goodbye.
(stopping again in front of the picture)
A fine painting!
(He goes out.)

BÉNÉDICT, HÉLÈNE, ROSA
Hélas !

BÉNÉDICT, HÉLÈNE, ROSA
Alas!

04 LE CHŒUR, *à demi-voix*
O vain mirage !
Mortel poison !
Fatal naufrage
De la raison !
La vie est brève ;
Faut-il qu'un rêve
Trouble le cours
De ses beaux jours !

CHORUS, *softly*
Oh vain mirage!
Deadly poison!
Fatal ruin
Of reason!
Life is short;
Must a dream
Disturb the course
Of its days of happiness?

(Bénédict reconduit les jeunes gens jusqu'à la porte de la rue. Rosa se couvre d'une mante. Hélène, pensive, est appuyée contre le chambranle de la porte qui ouvre sur la chambre de Conrad.)

(Bénédict accompanies the girls to the street door. Rosa wraps herself in a mantle. Hélène, pensive, is leaning against the doorframe that opens into Conrad's bedroom.)

Scène 3 *Bénédict, Rosa, Hélène*	Scene 3 *Bénédict, Rosa, Hélène*

5

BÉNÉDICT
Quoi ? Vous partez ?

BÉNÉDICT
What? Are you leaving?

ROSA
La nuit s'avance
Et notre père nous attend.

ROSA
The night is drawing on
And our father awaits us.

BÉNÉDICT
Ah ! vienne donc l'heureux instant,
Mon désir et mon espérance,
Où rien ne pourra plus nous séparer !

BÉNÉDICT
Ah, may the happy moment come soon,
My desire and my hope,
When nothing can separate us any longer!

ROSA
Plus bas...
Voyez la douleur de ma sœur Hélène ;
Elle aime Conrad qui ne l'aime pas ;
Notre joie, hélas ! doublerait sa peine.
Aimez-moi toujours, mais parlez plus bas.

ROSA
Softly...
See my sister Hélène's sorrow;
She loves Conrad, who does not love her;
Our joy, alas, would double her pain.
Love me always, but speak more softly.

BÉNÉDICT
Ange du ciel !

BÉNÉDICT
Angel from Heaven!

ROSA, *à Hélène*
Viens-tu ?

ROSA, *to Hélène*
Are you coming?

HÉLÈNE
Je te suis, et j'espère
Qu'apaisant les ennuis
de son cœur soucieux
Le sommeil fermera ses yeux.
(Elle s'agenouille avec Rosa.)

HÉLÈNE
I follow you, and I hope
That, soothing the troubles
of his anxious heart,
Sleep will close his eyes.
(She kneels with Rosa.)

(Prière)

(Prayer)

6

HÉLÈNE, ROSA, *séparément puis ensemble*
Ô Vierge mère,
Entends notre prière
Entends nos vœux ;
Donne à Conrad, ô Vierge mère,
Des jours heureux.

HÉLÈNE, ROSA, *separately then together*
O Virgin Mother,
Hear our prayer,
Hear our pleas;
Give Conrad, O Virgin Mother,
A happy existence.

(Les deux jeunes filles se relèvent et sortent,
reconduites jusqu'à la porte par Bénédict.)

(The two girls get up and leave, escorted to the
door by Bénédict.)

Scène 4
Bénédict, puis Conrad (clameurs
au loin)

Scene 4
Bénédict, then Conrad (shouts are heard
in the distance)

07   CONRAD, *entrant précipitamment*
Bénédict, quelles sont ces clameurs ?

CONRAD, *rushing in*
Bénédict, what are those shouts?

BÉNÉDICT
Calme-toi ;
Chasse les visions qui te troublent la tête ;
C'est la nuit de Noël et la ville
est en fête.

BÉNÉDICT
Calm down;
Banish the visions that trouble your mind;
It is Christmas Eve and the city
is celebrating.

CONRAD
S'il en est ainsi, pourquoi
N'es-tu pas où l'on chante,
où l'on rit, où l'on aime ?
Quelle sotte pitié te retient près de moi ?

CONRAD
If that is so, why
Are you not where there is singing,
laughter, love?
What foolish pity keeps you by my side?

BÉNÉDICT
Je veux te sauver de toi-même.
Rosa de mon travail charmera
les ennuis ;
L'amour d'Hélène est ton partage
Et tu peux être heureux si tu veux être sage.

BÉNÉDICT
I want to save you from yourself.
Rosa will charm away the tedium
from my work;
Hélène's love is your lot,
And you can be happy if you want to be wise.

08   CONRAD
Humble et pauvre,
es-tu donc heureux ?

CONRAD
Humble and poor as you are,
are you happy?

BÉNÉDICT
Si je le suis !... Demande à l'oiseau
qui s'éveille
Caressé par l'aube vermeille
En son nid amoureux,
S'il est heureux !
Demande à la rose nouvelle
Qui s'épanouit fraîche et belle,
Si le printemps vainqueur
Est dans son cœur !

BÉNÉDICT
Yes, I am! Ask the bird
that awakens
Caressed by the crimson dawn
In his love nest
If he is happy!
Ask the new-blown rose
That blooms fresh and beautiful
If the triumphant spring
Is in her heart!

Demande au nuage qui passe,	Ask the passing cloud,
Au rayon qui fuit dans l'espace,	Ask the sunbeam that flits through space,
S'ils traversent joyeux	If they are joyful as they traverse
L'azur des cieux !	The azure of the skies!
Demande à toute la nature,	Ask all of nature,
Au brin d'herbe,	The blade of grass,
au flot qui murmure,	the murmuring stream,
S'ils accueillent le jour	If they greet the day
D'un chant d'amour !	With a song of love!
Eh bien, du rayon qui voyage,	Well then, between the flitting sunbeam,
Des fleurs, de l'oiseau, du nuage,	The flowers, the bird, the cloud,
Le plus heureux, je crois,	The happiest of them all, I think,
L'est moins que moi.	Is less happy than I.

09 CONRAD, *vivement*

CONRAD, *sharply*

Non, non ! que parles-tu d'unir	No, no! Why do you speak of wedding
à ma détresse	my distress
La fille de Stadler,	To the daughter of Stadler,
le vieux veilleur de nuit ?	the old nightwatchman?
Angélique vertu que la pauvreté suit !	Angelic virtue dogged by poverty!
C'est bien cela vraiment	In truth, that's exactly
qu'il faut à ma jeunesse !	what my youth requires!
(montrant le tableau du fond)	*(pointing to the picture at the back of the stage)*
Vois cette éclatante beauté ;	Look at that dazzling beauty;
C'est là que mon destin commence	That is where my destiny begins
et qu'il s'achève :	and ends:
Ce que tu crois un rêve	What you think is a dream
Est la réalité.	Is reality.
Oui, j'ai vu cette femme,	Yes, I have seen that woman,
et l'image fidèle	and the faithful image
De ses traits radieux à moi se présenta,	Of her radiant features came to me
Quand de Circé je cherchais le modèle.	When I was looking for a model for Circe.

BÉNÉDICT
Son nom ?

BÉNÉDICT
Her name?

CONRAD
La Fiametta.

CONRAD
Fiametta.

BÉNÉDICT

BÉNÉDICT

Quoi ! cette ballerine	What? That ballerina
Qui traîne sur ses pas la mort et la ruine,	Who sows death and ruin in her wake,
Qui de ses poursuivants fait	Who makes each of her suitors

autant de valets,	into a slave,
Et vient ici, dit-on,	And comes here, so they say,
pour tendre ses filets ?	to set her snares?

CONRAD

Qu'importe qu'elle n'ait point d'âme ?	What does it matter that she has no soul?
Sa beauté lui suffit ; voilà la flamme	Her beauty suffices her; there is the flame
Qui rayonnera sur mes jours	That will shine upon my existence,
Et non tes vulgaires amours.	And not your commonplace love.

BÉNÉDICT

Prends garde ! de tes sens	Beware! The unassuaged ardour
l'ardeur inassouvie	of your senses
Menace ta raison, Conrad,	Threatens your reason, Conrad,
sinon ta vie.	even your life.

CONRAD

Ah ! c'est lui, ce docteur, qui te l'a dit.	Ah, it's that doctor who told you that.
Sa main	His fatal hand
Plane sur moi, fatale. Il me hait ;	Hovers over me. He hates me;
qu'on le chasse !	let him be driven away!

BÉNÉDICT

Calme-toi.	Calm down.

CONRAD

Non, c'est lui, lui seul qui me menace ;	No, it is he, he alone who threatens me;
Je veux qu'il soit payé demain.	I want him paid off tomorrow.
(prenant dans un tiroir un timbre d'argent)	*(taking a silver bell from a drawer)*
Prends ce timbre d'argent	Take this silver bell
qui me vient de mon père ;	I inherited from my father;
En frappant sur ce timbre, hélas !	It was by striking that bell, alas,
il m'appela,	that he summoned me
Quand il mourut, moment terrible	When he died: a terrible moment
gravé là !	engraved upon it!
C'est tout ce qui m'était resté	It is all I have left
dans ma misère ;	in my misery;
Vends-le ; que cet argent me délivre à jamais	Sell it; let the money free me for ever
De ce sorcier, de cet homme infernal ! Va.	From that sorcerer, that infernal man! Go!

BÉNÉDICT

Mais...	But...

CONRAD
Je le veux.

CONRAD
That is my wish!

BÉNÉDICT, *feignant d'obéir*
Bien.

BÉNÉDICT, *pretending to obey*
Very well.

CONRAD
Tu peux connaître
Que j'ai bien ma raison.
(Bénédict sort en hochant la tête.)
De moi je suis le maître.

CONRAD
I can assure you
That I still have my wits about me.
(Bénédict leaves, shaking his head.)
I am master of myself.

Scène 5
Conrad, seul

Scene 5
Conrad, alone

CHŒUR, *dans la rue*
Carnaval ! Carnaval !
La ville s'éveille à ton gai signal,
La foule, en habits de bal,
Chante autour de ton fanal.
Carnaval !

CHORUS, *in the street outside*
Carnival! Carnival!
The city awakens at your merry signal!
The crowd, in party costumes,
Sings around your lantern.
Carnival!

CONRAD
C'est bien ! Riez ! chantez ! ô jeunes fous !
Devant ma porte arrêtez-vous !
L'écho répète
Vos chants de fête ;
Vos gais concerts
Troublent les airs.
Et moi !...

CONRAD
That's it! Laugh! Sing! O young fools,
Stop on my doorstep!
The echo repeats
Your festive songs;
Your merry tunes
Rend the air.
Whereas I...

Dans le silence et l'ombre,
Enfermé nuit et jour,
Seul en ce réduit sombre,
Sans espoir, sans amour,
Le cœur gonflé de haine,
L'âme de rage pleine,
À cette lutte vaine
Pour toujours condamné,
Je te maudis, je te déteste,
Ô jour funeste
Où je suis né !
À vous, rois de la terre

In silence and in shadow,
Enclosed day and night,
Alone in this dark alcove,
Without hope, without love,
My heart swollen with hate,
My soul full of rage,
For ever doomed,
To this vain struggle.
I curse you, I hate you,
O fateful day
When I was born!
To you, kings of the earth,

Richesses et splendeurs !
À moi honte et misère,
Angoisses et douleurs !
Ainsi que Prométhée
Sur sa roche écartée,
Triste et l'âme irritée,
Par Dieu-même enchaîné,
Ah ! Je te maudis, je te déteste,
Ô jour funeste
Où je suis né !

12 LE CHŒUR, *s'éloignant*
Carnaval ! Carnaval ! Carnaval !
La foule, en habits de bal,
Danse autour de ton fanal !
La la la la la la !
La ville s'éveille à ton gai signal,
Carnaval !

CONRAD
Ah ! leurs cris me rompent la tête ;
Leur ivresse aigrit ma douleur ;
Et chacun, par ses chants de fête,
Semble insulter à mon malheur.
Tout me hait.
(regardant le tableau)
Dieu ! suis-je en délire ?
Elle-même, avec mépris,
De mes tourments semble rire.
Parle, est-ce de moi que tu ris ?
Tu ris de ma misère, infâme.
(Il tire un rideau sur le tableau.)
Ah ! l'enfer est dans mon âme.
Loin de moi, loin de moi !

(Il tombe évanoui sur le fauteuil. Le théâtre s'assombrit, Spiridion se dresse tout à coup derrière Conrad. Il porte le masque et le costume rouge de docteur de la comédie italienne, XVIe siècle.)

Is allotted wealth and splendour!
To me shame and misery,
Anguish and grief!
Like Prometheus
On his remote rock,
A sad and angry soul
Chained there by God himself.
Ah, I curse you, I hate you,
O fateful day
When I was born!

CHORUS, *moving away*
Carnival! Carnival! Carnival!
The crowd, in party costumes,
Dances around your lantern.
La la la la la la!
The city awakens at your merry signal!
Carnival!

CONRAD
Ah, their cries make my head burst;
Their intoxication sharpens my pain;
And each of them, with their festive songs,
Seems to insult my misfortune.
Everything hates me.
(looking at the painting)
Oh God! Am I raving?
Even she, with contempt,
Seems to laugh at my torments.
Speak! Are you laughing at me?
You laugh at my misery, loathsome woman!
(He draws a curtain in front of the painting.)
Ah, Hell is in my soul!
Get away from me!

(He falls, fainting, into the armchair. The theatre darkens, and suddenly Spiridion is standing behind Conrad. He wears the mask and the red doctor costume of sixteenth-century Italian comedy.)

Scène 6
Conrad, Spiridion, puis Circé

Scene 6
Conrad, Spiridion, then Circé

(Spiridion étend les mains vers le tableau. Le rideau qui le cache s'écarte. La vraie Circé, immobile et souriante, a remplacé la Circé du tableau. Le cadre s'agrandit et découvre un paysage fantastique éclairé par les premiers rayons du jour et dans lequel se trouve groupé le chœur de nymphes.)

(Spiridion stretches out his hands towards the picture. The curtain that concealed it parts. The real Circé, motionless and smiling, has replaced the image of the enchantress Circe in the painting. The frame expands and reveals a fantastic landscape lit by the first rays of dawn, in which the chorus of nymphs is gathered.)

13 LE CHŒUR
Circé ! rénais à la vie, à l'amour.
Elle s'anime et regarde autour d'elle ;
Nymphes, écartez les roseaux.
Elle s'élance et
se reconnaît belle
Dans le cristal des eaux.
Elle hésite ; elle doute
De son regard vainqueur,
Et muette elle écoute
Battre son cœur.
Faisons vibrer la lyre,
Et que nos doux accords
Répondent aux transports
De son joyeux délire !
Ah ! Circé ! renais au jour !

CHORUS
Circé! Be reborn to life, to love!
She begins to move and looks around her;
Nymphs, part the reeds.
She moves forward and
sees that she is beautiful
In the crystalline waters.
She hesitates; she doubts
Her all-conquering glance,
And mutely she listens
To her heart beating.
Let us strike the lyre,
And let our sweet chords
Answer the transports
Of her joyous frenzy!
Ah, Circé! Be reborn to the day!

(À l'appel du chœur, Circé s'est animée peu à peu. Elle semble reprendre possession de la vie et parcourt le théâtre en dansant.)

(At the summons of the chorus, Circé has gradually begun to move. She seems to regain life and dances around the stage.)

14 CONRAD, *évanoui*
Ô rêve d'amour !...

CONRAD, *in a faint*
Oh dream of love!

SPIRIDION, *se penchant vers Conrad*
Vois cette beauté, ce regard de flamme ;
Vois ces traits charmants ;
Veux-tu que l'amour verse dans ton âme
Ses enchantements ?
Veux-tu que cet or que ton cœur envie
Au gré de tes vœux,

SPIRIDION, *leaning down towards Conrad*
Behold that beauty, that blazing glance;
Behold those charming features;
Do you want love to pour into your soul
Its enchantments?
Do you want the gold that your heart envies,
Whenever you desire it,

De reflets ardents	To light up your life
éclaire ta vie ?	with its glittering reflections?
Dis si tu le veux ?	Say, is that what you want?

CONRAD

Oui, oui, je le veux.

CONRAD

Yes, yes, that is what I want.

SPIRIDION, *tirant des plis de son manteau un petit timbre d'argent, de forme bizarre et surmonté d'une pierre étincelante*

SPIRIDION, *pulling from the folds of his coat a small silver bell, bizarrely shaped and surmounted by a sparkling gem*

Frappe donc sans peur ce métal sonore,	Then strike this sounding metal without fear,
Frappe sans effroi.	Strike it without dread.
Pour te prodiguer tout ce qu'on adore,	To lavish upon you everything humans love,
Ce timbre est à toi.	This bell is yours.
Frappe ! chaque fois,	Strike it! Each time you do,
c'est une victime,	it claims a victim,
Enfant ou vieillard,	Whether child or old man;
Qu'importe ? Un flot d'or	What does it matter? A shower of gold
payera de son crime	will pay
L'aveugle hasard.	Blind chance for its crime.

CONRAD

Ô brûlant regard !
Circé !
Fiametta !

CONRAD

Oh burning gaze!
Circé!
Fiametta!

LE CHŒUR, *à demi-voix*

Circé t'appelle,
Suis sa loi ;
Elle est jeune et belle,
Souviens-toi.

CHORUS, *softly*

Circé calls you:
Follow her law;
She is young and beautiful,
Remember that!

(Conrad étend la main pour repousser le talisman. Circé s'approche en dansant, se penche vers lui et effleure son front d'un baiser. Conrad saisit le timbre. Sur un signe de Spiridion, la vision disparaît et le tableau reprend sa place comme au commencement de l'acte.)

(Conrad stretches out his hand to push the talisman away. Circé dances up to him, leans down towards him and grazes his brow with a kiss. Conrad seizes the bell. At a sign from Spiridion, the vision disappears and the painting regains its place as at the beginning of the act.)

SPIRIDION

Si de mon talisman tu ne fais point usage,
Un autre aura plus de courage ;

SPIRIDION

If you do not use my talisman,
Another man will have greater courage;

Si, poursuivi d'un vain remords	If, pursued by vain remorse,
Tu le brises, à toi la mort.	You break it, death will be your fate.
(*Il disparaît.*)	(*He disappears.*)

CONRAD, *seul*	CONRAD, *alone*
(*Il revient peu à peu à lui.*)	(*He gradually comes back to his senses.*)
Rien ? suis-je le jouet d'un songe ?	Nothing? Am I the plaything of a dream?
Non ! ce front radieux	No! That radiant countenance
n'était pas un mensonge.	was no lie.
Cette voix m'a parlé.	That voice spoke to me.
Ce timbre, le voici.	And that bell, here it is.
(*Il frappe un coup sur le timbre. On entend un cri au-dehors.*)	(*He strikes the bell once. A cry is heard outside.*)
Grand Dieu ! ce cri de mort !...	Great God! That death cry!
Ce bruit d'or sous mes pieds...	That sound of gold beneath my feet...
(*On entend un flot d'or rouler sous le plancher.*)	(*A shower of gold is heard chinking under the floor.*)
De l'or ! de l'or !	Gold! Gold!
(*Il soulève une trappe, descend quelques marches, plonge les mains dans l'obscurité et les retire pleines d'or.*)	(*He lifts a trapdoor, goes down a few steps, plunges his hands into the darkness and pulls them back up full of gold.*)

Scène 8	Scene 8
Conrad, Bénédict, puis Spiridion	*Conrad, Bénédict, then Spiridion*
(*Conrad referme vivement la trappe.*)	(*Conrad abruptly shuts the trapdoor.*)

BÉNÉDICT, *du dehors*	BÉNÉDICT, *from outside*
Conrad !	Conrad!
(*entrant précipitamment*)	(*rushing in*)
Sur le seuil de ta porte,	On your doorstep,
Stadler, le vieux Stadler,	Stadler, old Stadler,
frappé d'un coup mortel, vient de tomber.	has just been struck dead!

CONRAD	CONRAD
Ô ciel !	Oh Heavens!

BÉNÉDICT	BÉNÉDICT
Regarde. C'est lui qu'on emporte !	Look. That's his body they are taking away!
(*avec douleur*)	(*sorrowfully*)
Hélène ! Rosa !...	Hélène! Rosa!

CONRAD, *avec égarement*
Non : il en est temps encore.
Du secours !

SPIRIDION, *paraissant derrière Conrad et lui saisissant la main, à demi-voix*
Inutile.

CONRAD, *épouvanté*
Ah !

SPIRIDION, *souriant*
N'as-tu pas de l'or ?

CHŒUR, *lointain*
Carnaval ! Carnaval !
La ville s'éveille à ton gai signal.
La foule en habits de bal
Danse autour de ton fanal !
Carnaval !

(La toile tombe.)

CONRAD, *distraught*
No: there is still time.
Help! Help!

SPIRIDION, *appearing behind Conrad and seizing his hand; softly*
It is useless.

CONRAD, *terrified*
Ah!

SPIRIDION, *smiling*
Have you not gold?

CHORUS, *in the distance*
Carnival! Carnival!
The city awakens at your merry signal!
The crowd, in party costumes,
Sings around your lantern.
Carnival!

(The curtain falls.)

## Acte deuxième	## Act Two
### Premier tableau	### First tableau

La loge de Fiametta au Théâtre Royal de Vienne.	*Fiametta's dressing-room at the Vienna Court Opera.*

15 ENTRACTE

ENTR'ACTE

Scène 1
Fiametta, Maître de ballets, Jeunes Seigneurs, Habilleuses, puis Conrad, Spiridion, Patrick, Valets

(Au lever de rideau, on achève d'habiller Fiametta, assise devant sa toilette. Les jeunes seigneurs l'entourent. À l'écart, le maître de ballet esquisse un pas en s'accompagnant de sa pochette.)

Scene 1
Fiametta, the Ballet Master, Young Lords, Dressers, then Conrad, Spiridion, Patrick, Servants

(When the curtain rises, Fiametta's dressers are putting the finishing touches to her costume as she sits in front of her dressing-table. The young lords surround her. The ballet master, to one side, is trying out a dance step, accompanied by his pocket fiddle.)

CHŒUR DES JEUNES SEIGNEURS
Gloire à la belle des belles,
Qui, pour doubler ses attraits,
De Vénus a pris les traits,
De l'amour a pris les ailes !
Gloire à la belle des belles !

CHORUS OF YOUNG LORDS
Glory to the fairest of the fair,
Who, to increase her charms,
Has taken on the features of Venus,
And taken the wings of Love!
Glory to the fairest of the fair!

(Conrad entre suivi de Patrick, portant un écrin.)

(Conrad enters, followed by Patrick bearing a jewel case.)

16 CONRAD, *à Fiametta*
Un collier manquait aux atours
De la divine Cythérée !
Que la reine des amours
De leurs mains en soit parée !

CONRAD, *to Fiametta*
Divine Cytherea still lacked
A necklace for her finery!
May the Cupids' hands
Adorn their Queen with it!

(Patrick met un genou à terre et présente l'écrin à Fiametta, qui l'ouvre et pousse un cri de surprise. Elle en tire un collier de diamants dont elle se pare aussitôt devant son miroir.)

(Patrick places one knee on the ground and presents the case to Fiametta, who opens it and utters a cry of surprise. She draws out a diamond necklace with which she immediately adorns herself in front of her mirror.)

LE CHŒUR, *à demi-voix*
Il faut qu'il ait trouvé
quelque immense trésor
Pour semer, comme il fait,
les diamants et l'or !

CHORUS, *softly*
He must have found
some immense treasure
To scatter diamonds and gold
around him as he does!

(Pendant ce jeu de scène, Spiridion, sous les traits du marquis de Polycastro, est entré, suivi d'un négrillon en livrée portant un second écrin.)

(During this action, Spiridion has entered in the guise of the Marquis of Polycastro, followed by a little black boy in livery carrying a second jewel case.)

SPIRIDION, *s'avançant vers Conrad*
Aux insignes du rang suprême,
Seigneur Conrad, vous l'oubliez,
Il faut encor le diadème,
(se tournant vers Fiametta)
Et je le dépose à ses pieds.

SPIRIDION, *approaching Conrad*
To the insignia of supreme rank,
Lord Conrad, you forget that
One must add the tiara,
(turning to Fiametta)
And I place it at her feet.

(Le négrillon présente l'écrin à Fiametta en mettant un genou en terre comme Patrick. Fiametta en tire un splendide diadème, dont ses habilleuses se mettent aussitôt en devoir de la parer. Mouvement de dépit de Conrad.)

(The little black boy presents the case to Fiametta, with one knee on the ground like Patrick. Fiametta draws out a splendid tiara, with which her dressers at once adorn her. Conrad reacts with a gesture of vexation.)

LE CHŒUR, *à demi-voix, en riant*
Le marquis lui tient tête,
et cette lutte folle
Épuiserait, bientôt,
jusqu'aux flots du Pactole.

CHORUS, *softly, laughing*
The Marquis holds his own,
and this crazy competition
Would soon exhaust
even the waters of the Pactolus.

CONRAD, *à Spiridion*
Vous faites des présents de roi.

CONRAD, *to Spiridion*
You give presents worthy of a king.

SPIRIDION, *avec modestie, lui présentant sa tabatière*
Non, de marquis, pas davantage.
Je n'ai pas comme vous
fait un riche héritage,
Et vous avez le pas sur moi !
(Il hume une prise.)

SPIRIDION, *modestly, offering him his snuffbox*
No, worthy of a marquis; no more than that.
I have not come into a rich inheritance
like you,
And you have the advantage over me!
(He takes a pinch of snuff.)

CONRAD
Vous moquez-vous ?

CONRAD
Do you mock me?

SPIRIDION, *époussetant d'une chiquenaude son jabot de dentelles*
Non, sur ma foi !

SPIRIDION, *dusting his lace jabot with a flick*
No, upon my faith!

(Conrad s'éloigne de quelques pas avec humeur. Spiridion se rapproche de Fiametta et veille lui même a la pose du diadème, tout en causant avec le maître du ballet.)

(Conrad testily moves a few steps away. Spiridion approaches Fiametta and adjusts the position of the tiara himself while talking to the ballet master.)

LE CHŒUR, *à demi-voix*
Je suis curieux de connaître
Qui des deux trouvera son maître ;
Et par ses soins attendrira
Notre princesse d'opéra.

CHORUS, *softly*
I am curious to know
Which of the two will come out on top,
And will win our operatic princess
With his attentions.

(Fiametta, enchantée de sa parure, se tourne vers Spiridion et lui tend la main.)

(Fiametta, delighted with her jewellery, turns to Spiridion and extends her hand.)

SPIRIDION, *baisant la main de Fiametta*
Charmante !

SPIRIDION, *kissing Fiametta's hand*
Charming!

CONRAD, *à part*
Patience !

CONRAD, *aside*
Patience!

SPIRIDION, *montrant le maître de ballet*
On dit merveille
De ce pas de l'abeille
Que vous dansez ce soir
dans les *Ruses d'amour* !
Nous ferez-vous la grâce
De l'essayer pour nous ?
*(signe affirmatif de Fiametta ;
aux jeunes seigneurs :)*
Messieurs, faisons place.

SPIRIDION, *indicating the ballet master*
Wonders are told
Of the Bee Dance
That you are to perform this evening
in *The Ruses of Love*!
Will you honour us
By dancing it for us?
*(Fiametta indicates that she will;
to the young lords:)*
Gentlemen, let us make room.

LE CHŒUR
Vivat !

CHORUS
Hurrah!

SPIRIDION
Allons ! seigneur Conrad !

SPIRIDION
Come, come, Lord Conrad!

CONRAD, *à part*
J'aurai mon tour.

CONRAD, *aside*
My turn will come.

(Spiridion, Conrad et les jeunes seigneurs s'asseyent de chaque côté du théâtre. Les habilleuses sortent.)

(Spiridion, Conrad and the young lords sit on either side of the stage. The dressers leave.)

17   PAS DE L'ABEILLE

BEE DANCE

(Le maître de ballet a pris sa pochette, il prélude par un grésillement léger qui imite le bourdonnement de l'abeille. Fiametta s'arrête indécise et écoute ; elle cherche des yeux dans l'air l'insecte ailé qui la menace ; le bourdonnement cesse. Fiametta s'élance joyeuse et traverse le théâtre en tournoyant. Tout à coup, le bourdonnement se fait entendre de nouveau. Elle soulève son voile, en secoue vivement les plis et le rejette loin d'elle avec effroi. Le bourdonnement cesse de nouveau. Elle reprend sa danse. Le même jeu se renouvelle plusieurs fois encore ; elle dénoue enfin sa ceinture, puis ses longs cheveux et vient tomber palpitante dans les bras de Spiridion aux applaudissements de ses amis. Conrad l'a suivie des yeux avec amour pendant toute cette scène. En la voyant tomber dans les bras de Spiridion, il se lève furieux et s'élance pour la lui arracher.)

(The ballet master has taken up his pocket fiddle, on which he plays a lightly buzzing prelude that imitates the humming of a bee. Fiametta halts uncertainly and listens; she looks in the air for the winged insect that threatens her; the buzzing stops. Fiametta launches joyfully into her dance and pirouettes across the stage. Suddenly the buzzing is heard again. She lifts her veil, shakes its folds energetically and throws it far from her in fear. The buzzing stops again. She resumes her dance. The same action is repeated several more times; she finally unties her sash, then her long hair, and falls, palpitating, into Spiridion's arms, to the applause of her friends. Conrad has gazed lovingly at her throughout this scene. When he sees her fall into Spiridion's arms, he rises in a fury and rushes to tear her from them.)

CONRAD
Fiametta !

CONRAD
Fiametta!

SPIRIDION
Qu'avez-vous ?

SPIRIDION
What's wrong with you?

CONRAD, *à part*
Morbleu !

CONRAD, *aside*
Gadzooks!

LE CHŒUR
C'est Vénus même.

CHORUS
It is Venus herself.

CONRAD
Pour fêter dignement
son triomphe nouveau,
Je vous attends demain chez moi.

CONRAD
To celebrate her new triumph
as it deserves,
I'll await you at my apartments tomorrow.

LE CHŒUR Bravo !	**CHORUS** Bravo!

CONRAD, *à Fiametta*
Si vous n'aimez pas,
souffrez qu'on vous aime.

CONRAD, *to Fiametta*
If you do not love,
at least let yourself be loved.

SPIRIDION
Je ne me tiens pas quitte avec ce diadème ;
Pour loger tant de grâce
avec tant de beauté,
Je sais un palais à Florence
Que j'offre à Fiametta
pour la saison d'été.

SPIRIDION
My account is still not settled with this tiara;
To accommodate such grace combined
with such beauty,
I know a palace in Florence
Which I offer Fiametta
for the summer season.

CONRAD
Moi, je sais à Venise un palais enchanté
Qui pourra sur le vôtre avoir la préférence.

CONRAD
I know an enchanted palace in Venice
Which may have her preference over yours.

SPIRIDION
Le mien vaut cent mille ducats.

SPIRIDION
Mine is worth a hundred thousand ducats.

CONRAD
Le mien vaut le double.

CONRAD
Mine is worth double that.

SPIRIDION
En ce cas,
Jouons à qui des deux
devra payer pour l'autre.

SPIRIDION
In that case,
Let us gamble to see which of us
will have to pay for the other.

CONRAD
Vous pourriez bien, je vous le dis,
Faire les frais du mien.

CONRAD
You might well, I tell you,
Have to pay for mine.

SPIRIDION
Comme vous ceux du nôtre.
Cette table de passe-dix
Peut servir de champ-clos.

SPIRIDION
Just as you might ours.
This passe-dix table
Will serve us as a jousting field.

CONRAD
Soit ! *(à Fiametta)* Je veux de vous-même
Tenir les dés.

CONRAD
So be it! *(to Fiametta)* I wish to hold
Your dice.

SPIRIDION
Faveur suprême
Que je réclame aussi.

SPIRIDION
A supreme favour
That I too claim.

LE CHŒUR
Bravo ! Bravo ! Franc jeu !

LE CHŒUR
Bravo! Bravo! That's fair play!

CONRAD
Holà ! que l'on m'apporte
Tout l'or qu'on trouvera dans mes caves !
Courez !

CONRAD
Ho there! Bring me
All the gold you find in my cellars!
Run!

SPIRIDION, *à part*
Ah ! maître fou ! Vous enterrez
Votre talisman. Bien !
Nous saurons faire en sorte
Que vous y reveniez !

SPIRIDION, *aside*
Ah, my mad master! You are burying
Your talisman. Very well!
We will ensure
That you come back to it.

18 CONRAD
À vous les dés, marquis.

CONRAD
You throw the dice first, Marquis.

SPIRIDION
Soit, mais que faisons-nous ?

SPIRIDION
Very well, but how do we proceed?

CONRAD
Ces billets valent ensemble
Dix mille ducats.

CONRAD
These notes are worth in all
Ten thousand ducats.

SPIRIDION
Bien.

SPIRIDION
Good.

PATRICK
Pour l'un des deux je tremble.
Ils sont fous !

PATRICK
I tremble for one of them.
They are mad!

LE CHŒUR
Ils sont fous.

CHORUS
They are mad!

(Conrad et Spiridion s'installent à la table du passe-dix.)

(Conrad and Spiridion sit at the passe-dix table.)

SPIRIDION
Allons ; parlez.

SPIRIDION
Come then; speak.

CONRAD, *roulant les dés*	**CONRAD**, *rolling the dice*
Impasse	Impasse
Et pair.	And pair.
PATRICK	**PATRICK**
Dix-sept.	Seventeen.
SPIRIDION	**SPIRIDION**
Impair et passe.	Impair and passe.
CONRAD	**CONRAD**
J'ai perdu !	I have lost!
(Fiametta sourit à Spiridion.)	*(Fiametta smiles at Spiridion.)*
Doublons l'enjeu.	Let's double the stakes.
SPIRIDION	**SPIRIDION**
C'est entendu.	Agreed.
À vous les dés.	Your throw.
LE CHŒUR, *à demi-voix*	**CHORUS**, *softly*
Quelle audace !	What audacity!
PATRICK, *roulant les dés*	**PATRICK**, *rolling the dice*
Passe.	Passe.
SPIRIDION, *regardant les dés*	**SPIRIDION**, *watching the dice*
Dix, j'ai gagné.	Ten; I win.
Le refait est pour moi.	The refait is for me.
(Nouveau sourire de Fiametta.)	*(Fiametta smiles again.)*
CONRAD, *se relevant*	**CONRAD**, *standing up*
Attendons mon valet.	Let's wait for my valet.
SPIRIDION	**SPIRIDION**
Pourquoi ?	Why?
CONRAD	**CONRAD**
Je n'ai plus rien.	I have nothing left.
SPIRIDION	**SPIRIDION**
Qu'importe ! Entre gens	What does it matter? Between persons
de notre sorte	of our sort

On peut se ruiner
sur parole.

CONRAD
Fort bien.
Cent mille ducats.

SPIRIDION
Je les tiens.

(Fiametta partage ses sourires entre Spiridion et Conrad.)

LE CHŒUR
Sur mon âme, ils n'ont peur de rien.

CONRAD, *roulant les dés debout*
Passe.

SPIRIDION, *regardant les dés*
Trois, *(roulant les dés)*
Impasse.

CONRAD
Morbleu !
La chance est pour vous !

SPIRIDION, *souriant*
Oui, j'ai le bonheur au jeu.
(« Et aussi en amour », semble lui dire Fiametta.)

CONRAD
Eh bien ! doublons encore la somme :
Deux cent mille ducats.

SPIRIDION, *jetant son cornet*
Soit, après le ballet !
J'attendrai, foi de gentilhomme
Le retour de votre valet.

(Coup de sonnette dans la coulisse.)

One may ruin oneself
on one's word of honour.

CONRAD
Very well.
One hundred thousand ducats.

SPIRIDION
I'll throw.

(Fiametta shares her smiles between Spiridion and Conrad.)

CHORUS
Upon my soul, they fear nothing.

CONRAD, *standing, rolling the dice*
Passe.

SPIRIDION, *watching the dice*
Three, *(rolling the dice)*
Impasse.

CONRAD
Gadzooks!
Fortune is on your side!

SPIRIDION, *smiling*
Yes, I am lucky in games of chance.
('And also in love', Fiametta seems to tell him.)

CONRAD
Well, then! Let's double the sum again:
Two hundred thousand ducats.

SPIRIDION, *throwing down his dice cup*
So be it, after the ballet!
On my gentleman's honour, I'll await
The return of your valet.

(A bell rings offstage.)

SPIRIDION On sonne au théâtre.	**SPIRIDION** There is the theatre bell.
LE CHŒUR Courons.	**CHORUS** Let us make haste.
(Spiridion offre la main à Fiametta et sort avec elle, suivi de jeunes seigneurs et du maître de ballet.)	*(Spiridion offers Fiametta his hand and goes out with her, followed by the young lords and the ballet master.)*
CONRAD, *suivant Fiametta des yeux* Par le diable, Nous verrons Si l'on ne m'est tantôt plus favorable !	**CONRAD**, *looking after Fiametta* By the Devil, We will see If I don't have better luck later on!
(Il se dispose à suivre Fiametta. Bénédict entre vivement en scène par une autre porte et l'arrête. Il a son violon sous le bras.)	*(He prepares to follow Fiametta. Bénédict rushes onto the stage through another door and stops him. He has his violin under his arm.)*

Scène 2
Conrad, Bénédict, puis Hélène

Scene 2
Conrad, Bénédict, then Hélène

19

BÉNÉDICT Pardon, ami Conrad, je m'échappe un instant Pour t'annoncer mon mariage ; Oui, demain, à Stuckradt ; ce n'est pas un voyage ; Tu seras de retour le soir, et l'on t'attend.	**BÉNÉDICT** Excuse me, friend Conrad, I've run off for a moment To announce my wedding to you! Yes, tomorrow, at Stuckradt; that's no journey at all. You'll be back in the evening, and they will wait for you.
CONRAD Pardonne ; à Fiametta j'ai promis une fête Et je ne puis manquer...	**CONRAD** Forgive me; I promised Fiametta a party, And I cannot avoid...
BÉNÉDICT, *tristement* Ah ! c'est bien.	**BÉNÉDICT**, *sadly* Ah, all right then.
CONRAD Je le vois, Tu condamnes ce cœur où gronde la tempête ? Je souffre, ami pardonne-moi.	**CONRAD** I can see it in your face: Do you condemn this heart in which the storm roars? I am suffering, my friend, forgive me.

BÉNÉDICT
Je te plains ; ton amour
est un philtre qui tue.
Tu comprendras plus tard,
si tu vois emporté
Cet or qu'un héritage
en tes mains a jeté,
Que tu n'aimais que la Statue
De la Cupidité.

CONRAD, *amèrement*
Oui, Danaé vulgaire ou perfide Sirène !...
Mais comment résister, ami ?
Le flot m'entraîne.

BÉNÉDICT
Souviens-toi seulement,
Si jamais le remords t'apporte son tourment,
Qu'il est, sous de vertes collines,
Une maison par toi donnée aux orphelines,
Comme un refuge à leur douleur.
Ta chambre, encor de fleurs parée,
Attend celui qui fut son hôte un jour
Et dont l'absence fut pleurée
Et dont un cri joyeux
saluera le retour.

CONRAD
Hélas ! tu me parles d'Hélène !
Oui, je crois voir encore
les larmes de ses yeux,
Alors que sous tes doigts
l'archet mélodieux
À quelques pas de nous
osait chanter à peine
Un vieil air qui semblait
l'écho de ses adieux.

BÉNÉDICT
Tu t'en souviens ? Cet air,
souvent chanté par elle,
Commençait ainsi, je me le rappelle.

BÉNÉDICT
I pity you; your love
is a lethal potion.
You will realise later,
if you see yourself deprived
Of the gold that an inheritance
has placed in your hands,
That you only loved the statue
Of greed.

CONRAD, *bitterly*
Yes, a vulgar Danaë or a treacherous Siren!
But how can I resist, my friend?
The current is dragging me along.

BÉNÉDICT
Just remember,
If ever remorse inflicts its torment on you,
That there exists, beneath green hills,
A house you gave two orphan girls
As a refuge from their grief.
Your room, still adorned with flowers,
Awaits the man who was once its guest,
Whose absence was mourned,
And whose return will be greeted
with a cry of joy.

CONRAD
Alas! You speak to me of Hélène.
Yes, I believe I still see
the tears in her eyes
While under your fingers
the melodious bow,
A few steps away from us,
hardly dared to sing
An old tune that seemed
to echo her farewell.

BÉNÉDICT
Do you remember that? That tune
she often sang
Began like this; I remember it.

(Il joue une ritournelle de violon ; Hélène entre doucement en scène et s'arrête sur un signe de Bénédict.)

(He plays a violin ritornello; Hélène quietly comes onto the stage and stops at a sign from Bénédict.)

CONRAD, *s'asseyant rêveur*
Oui, j'écoute et je crois,
Ainsi que dans un rêve,
entendre encor sa voix.
(Il reste immobile, la main sur les yeux.)

CONRAD, *sitting down dreamily*
Yes, I am listening and I believe,
As if in a dream,
that I can still hear her voice.
(He remains motionless, his hand over his eyes.)

20 HÉLÈNE, *à demi-voix,*
sur l'accompagnement de Bénédict
Le bonheur est chose légère,
Passagère ;
On croit l'atteindre, on le poursuit,
Il s'enfuit.

HÉLÈNE, *softly,*
to Bénédict's accompaniment
Happiness is a light,
A passing thing;
We believe we can attain it; we pursue it;
It flees away.

Hélas ! Vous en rêvez un autre
Que le nôtre ;
Il faut, à vos ardents désirs,
Les plaisirs,
Dieu vous préserve des alarmes
Et des larmes
Qui peuvent assombrir le cours
De vos jours !

Alas! You dream of a different happiness
From ours;
Your ardent desires need
Pleasures;
God preserve you from the distress
And tears
That may darken the course
Of your existence!

Le bonheur est chose légère,
Passagère ;
On croit l'atteindre, on le poursuit,
Il s'enfuit.

Happiness is a light,
A passing thing;
We believe we can attain it; we pursue it;
It flees away.

Si jamais votre cœur regrette
La retraite
Qu'aujourd'hui vous abandonnez,
Revenez ;
De tous les chagrins de votre âme,
Je réclame,
Pour notre fidèle amitié,
La moitié.

If your heart ever misses
The refuge
That today you abandon,
Come back;
Of all the sorrows of your soul,
I claim,
For our loyal friendship's sake,
Half for myself.

Le bonheur est chose légère,
Passagère ;
On croit l'atteindre, on le poursuit,

Happiness is a light,
A passing thing;
We believe we can attain it; we pursue it;

Il s'enfuit.
(*Conrad se lève, Hélène se cache derrière une tapisserie.*)

It flees away.
(*Conrad stands up; Hélène hides behind a tapestry.*)

21 CONRAD
Dieu ! j'ai cru...

CONRAD
Oh God! I thought...

BÉNÉDICT
Mon archet peut-être,
Ainsi qu'un talisman, si tu le désirais,
À tes yeux la ferait paraître.

BÉNÉDICT
Perhaps my bow,
Like a talisman, if you wished it,
Would make her appear before you.

CONRAD
Non ! loin de moi les vains regrets !
Ma pensée est ailleurs ;
votre bonheur champêtre
Me tuerait.

CONRAD
No! Begone, vain regrets!
My thoughts are elsewhere;
your rustic happiness
Would kill me.

BÉNÉDICT, *tristement*
Adieu donc.

BÉNÉDICT, *sadly*
Farewell, then.

CONRAD, *fiévreusement*
Adieu.
(*Bénédict sort.*)
Démon de l'or,
Du cœur de Fiametta,
je ne te tiens pas quitte ;
Pour le sang répandu,
pour mon âme maudite,
Tu me le dois encor.
(*Il sort.*)

CONRAD, *feverishly*
Farewell.
(*Bénédict leaves.*)
Demon of gold,
For Fiametta's heart
our account is not settled;
For the blood I have shed,
for my soul that I have damned,
You still owe me that heart.
(*He leaves.*)

Deuxième tableau

Second tableau

Changement à vue. La scène, vue à revers, est plongée dans une demi-obscurité. Au fond, la salle remplie de spectateurs et éclatante de lumière. Entre-deux le chef d'orchestre faisant face au public et conduisant des musiciens. La décoration d'un gris uniforme, simule des arbres ombrageant sur un des côtés un kiosque oriental. Elle se découpe en silhouette sombre sur la salle lumineuse.

Scene change. The stage, seen in reverse, is plunged into semi-darkness. At the back we see the auditorium filled with spectators and brightly lit. In the middle is the conductor, facing the audience and directing the musicians. The set for the ballet, in a uniform grey, simulates trees shading an oriental pavilion on one side. It stands out as a dark silhouette against the glittering auditorium.

Scène 1
Fiametta, danseuses et danseurs

(On achève la représentation du « Ballet des Ruses d'amour ». Fiametta traverse la scène en tourbillonnant et danse la dernière partie du pas de l'abeille en tournant le dos au public et formant une ombre chinoise. Deux immenses rideaux se déploient et viennent fermer le fond de la scène. Applaudissements et rappels derrière les rideaux qui se rouvrent. Une pluie de bouquets tombe aux pieds de Fiametta. Nouvelles acclamations. Les rideaux se referment et le théâtre s'éclaire. Les danseuses ramassent les bouquets pour les offrir à Fiametta. Une camériste vient lui jeter une pelisse sur les épaules. Les jeunes seigneurs se précipitent en scène et l'entourent.)

Scène 2
Les mêmes, les Jeunes Seigneurs, puis Conrad, Spiridion, Patrick, Valets

22 CHŒUR DE JEUNES SEIGNEURS
Séduisante almée,
La foule charmée
Vous donne ces fleurs ;
Lorsqu'à votre oreille,
Bourdonnait l'abeille,
D'étranges ardeurs
Passaient dans nos cœurs !
Séduisante aimée,
La foule charmée
Vous donne ces fleurs.

CONRAD, *entrant en scène et regardant autour de lui*
Le marquis, cette fois,
nous a cédé la place.
(Fiametta fait mine de se retirer. Conrad s'avance vers elle et lui offre la main.)
Permettez...

Scene 1
Fiametta, male and female dancers

(The performance of the Ballet of the Ruses of Love is coming to an end. Fiametta pirouettes across the stage performing the last part of the Bee Dance, turning her back on the [real] audience and seen in shadow. Two huge curtains close, making the back area of the stage invisible to us. Applause and bows on the other side of the curtains as they reopen. A shower of bouquets falls at Fiametta's feet. The cheers continue. The curtains close and the stage lights come on. The dancers pick up the bouquets and give them to Fiametta. A chambermaid comes to throw a pelisse over her shoulders. The young lords rush on stage and surround her.)

Scene 2
The same, the Young Lords, then Conrad, Spiridion, Patrick, Valets

CHORUS OF YOUNG LORDS
Seductive almeh,
The enchanted crowd
Offers you these flowers!
When the bee buzzed
In your ear,
A strange fervour
Ran through our hearts.
Seductive almeh,
The enchanted crowd
Offers you these flowers!

CONRAD, *coming onto the stage and looking around him*
The Marquis, this time,
has yielded his place to me.
(Fiametta indicates that she wants to withdraw. Conrad moves towards her and offers her his hand.)
Allow me...

(Fiametta prend la main de Conrad et fait quelques pas pour s'éloigner. Spiridion, affublé d'une fausse barbe et vêtu d'un riche costume d'improvisateur italien, entre en scène et lui barre le passage. Il porte une guitare.)

(Fiametta takes Conrad's hand and moves a few steps away. Spiridion, wearing a false beard and dressed in the rich costume of an Italian impromptu poet, enters and blocks her way. He is carrying a guitar.)

SPIRIDION
Un moment, de grâce.

SPIRIDION
One moment, please.

(Fiametta, Conrad, les jeunes seigneurs le regardent avec curiosité.)

(Fiametta, Conrad and the young lords look at him with curiosity.)

CONRAD, *à part*
Est-ce encore un galant
qui vient faire sa cour ?

CONRAD, *aside*
Is this still another gallant
coming to court her?

23 SPIRIDION, *à Fiametta qui l'interroge du geste*
Qui je suis ? Demandez aux échos
d'alentour !

SPIRIDION, *to Fiametta, who makes a quizzical gesture*
Who am I? Ask the echoes
all around!

De Naples à Florence
et de Parme à Vérone,
Chacun connaît Caméléone
Et ses chansons d'amour.

From Naples to Florence
and from Parma to Verona,
Everyone knows Cameleone
And his love songs.

Des vers que j'improvise
aux sons de ma guitare
Je ne suis point avare ;
Moi, je fais fi de l'or,
Et je ne demande à ceux que j'égaye
Qu'un sourire et moins encor ;
C'est en applaudissant mes chansons
qu'on me paye.

I am not miserly
with the verses I improvise
To the sound of my guitar;
I care not a fig for gold,
And I only ask from those I entertain
A smile, and even less:
They pay me
by applauding my songs.

Je chante nuit et jour
Le bon vin et l'amour ;
Ma voix est vive,
Tendre et plaintive,
Parlez, parlez.
Il faut me dire
Si vous voulez
Pleurer ou rire ;

I sing night and day
Of good wine and love;
My voice is lively,
Tender and plaintive,
Speak, speak.
You must tell me
Whether you want
To cry or to laugh;

Parlez, parlez.	Speak, speak.
De Naples à Florence	From Naples to Florence
et de Parme à Vérone,	and from Parma to Verona,
Chacun connaît Caméléone	Everyone knows Cameleone
Et ses chansons d'amour.	And his love songs.
Des vers que j'improvise	I am not miserly
aux sons de ma guitare	with the verses I improvise
Je ne suis point avare ;	To the sound of my guitar;
Moi, je fais fi de l'or,	I care not a fig for gold,
Et je ne demande à ceux que j'égaye	And I only ask from those I entertain
Qu'un sourire et moins encor ;	A smile, and even less:
C'est en applaudissant mes chansons	They pay me
qu'on me paye.	by applauding my songs.
(Fiametta et les jeunes seigneurs	*(Fiametta and the young lords applaud him,*
l'applaudissent en riant.)	*laughing.)*
CONRAD, *avec humeur*	CONRAD, *testily*
Par le ciel ! Tu prends mal ton moment	By Heaven! You have chosen ill the moment
pour chanter.	for your song.
Viens demain à ma fête ;	Come to my party tomorrow;
on pourra t'écouter.	we can listen to you then.
SPIRIDION, *souriant*	SPIRIDION, *smiling*
Ah ! ah ! ah ! Faut-il donc me faire	Ha-ha-ha! Must I reveal
reconnaître ?	my identity?
(Il ôte sa barbe,	*(He takes off his beard*
on reconnaît Polycastro.)	*and is recognised as Polycastro.)*
TOUS	ALL
Le marquis !...	The Marquis!
SPIRIDION	SPIRIDION
Mieux encore ! Un sorcier, mes amis.	Better still! A wizard, my friends.
Rangez-vous	Stand aside and behold,
et voyez paraître	appearing before you,
L'image du palais que j'ai tantôt promis !	The image of the palace I promised earlier!
(On se range de chaque côté de la scène. Sur	*(They move over to either side of the stage. At*
un signe de Spiridion, le théâtre change	*a sign from Spiridion, the scene changes to*
d'aspect et représente l'intérieur d'un riche	*represent the interior of a sumptuous*

palais florentin. Le plancher s'entr'ouvre et livre passage à une table splendidement servie ; un lustre descend des frises ; des valets sortent des coulisses et se rangent au fond de la scène.)	*Florentine palace. The floor opens to allow a splendidly set table to emerge; a chandelier descends from the borders; servants come out of the wings and line up at the back of the stage.)*

Troisième tableau

Third tableau

24 LE CHŒUR
Ô merveille !

CHORUS
Oh marvel!

SPIRIDION, *à Fiametta*
Ma reine est-elle satisfaite ?...
(Fiametta lui répond par un sourire et lui témoigne son étonnement de cette métamorphose.)
Oui, j'ai fait machiner
le théâtre.
(Fiametta lui demande pourquoi il a lui-même changé de costume.)
Pourquoi ce déguisement ?... Sur ma foi !
Pour vous offrir un rêve il fallait un poète.
(à Conrad)
Et bien, seigneur Conrad,
fête pour fête !

SPIRIDION, *to Fiametta*
Is my queen satisfied?
(Fiametta answers him with a smile, indicating her surprise at this transformation.)
Yes, I had the theatre
equipped with machinery.
(Fiametta asks him why he changed his costume too.)
Why this disguise? Upon my faith!
To give you a dream a poet was required.
(to Conrad)
Well, Lord Conrad,
one party calls for another!

CONRAD
Patience, marquis,
chaque chose en son temps.

CONRAD
Patience, Marquis,
one thing at a time.

SPIRIDION
Et votre trésor ?

SPIRIDION
And your treasure?

CONRAD
Je l'attends.

CONRAD
I am waiting for it.

SPIRIDION, *se tournant vers les jeunes seigneurs*
Allons, messieurs, la table est prête.
Loin d'ici
Le souci !

SPIRIDION, *turning to the young lords*
Come on, gentlemen, the table is ready.
Let care begone
From here!

LE CHŒUR
Vivat ! Vivat !

CHORUS
Hurrah! Hurrah!

CONRAD

Ah ! quelle aveugle folie
M'attache à ses pas !
L'ingrate déjà m'oublie.

LE CHŒUR

Loin d'ici
Le souci !

25 SPIRIDION

Dans le bruit et dans l'ivresse,
Jusques au matin,
Fiametta l'enchanteresse
Préside au festin.
Les amours et la folie
Seront du repas ;
À nous le plaisir vous lie ;
Ne le fuyez pas ;
Suivez mes pas.

LE CHŒUR

Dans le bruit et dans l'ivresse,
Jusques au matin,
Fiametta l'enchanteresse
Préside au festin.

SPIRIDION, LE CHŒUR

Les amours et la folie
Seront du repas.
À vous le plaisir nous lie.
Ne le fuyons pas.
Suivons ses pas.

CONRAD

Ah! What blind folly
Chains me to her footsteps!
The ingrate has already forgotten me.

CHORUS

Let care begone
From here!

SPIRIDION

Amid noise and drunkenness,
Until morning,
Fiametta the enchantress
Presides over the feast.
Love and extravagance
Will be present at the banquet;
Pleasure binds you to us;
Do not shun it;
Follow in my footsteps.

CHORUS

Amid noise and drunkenness,
Until morning,
Fiametta the enchantress
Presides over the feast.

SPIRIDION, CHORUS

Love and extravagance
Will be present at the banquet;
Pleasure binds you to us;
Do not shun it;
Follow in my footsteps.

CD II

01 LE CHŒUR

Vivat ! Vivat ! vive le vin
Et le festin !
Ici-bas, n'est-il pas sage
De saisir le plaisir au passage ?
Usons des jours
Hélas ! trop courts
De la jeunesse.

CHORUS

Hurrah! Hurrah! Long live wine
And feasting!
On this earth, is it not wise
To seize pleasure as it passes?
Let us avail ourselves of the days
– Too short, alas! –
Of youth.

Buvons, chantons,
vive l'ivresse,
Vive le vin,
Nectar divin.

Let us drink, let us sing!
Long live drunkenness,
Long live wine,
That divine nectar!

*(Spiridion prend Fiametta par la main et la
conduit à la place d'honneur. Jeunes seigneurs
et danseuses prennent place autour de la table.
Conrad semble hésiter sur le parti qu'il doit
prendre, quand Patrick entre en scène et
l'aborde brusquement.)*

*(Spiridion takes Fiametta by the hand and
leads her to the place of honour. Young lords
and female dancers sit around the table.
Conrad seems to be hesitating over how to
behave when Patrick enters and comes up to
him abruptly.)*

PATRICK, *à demi-voix*
Seigneur !

PATRICK, *softly*
My lord!

CONRAD
Eh bien ?

CONRAD
Well?

PATRICK
Je tremble
De vous le dire...

PATRICK
I tremble
To tell you...

CONRAD
Qu'est-ce encor ?

CONRAD
Well, what is it now?

PATRICK
Intendant et trésor
Se sont enfuis ensemble.

PATRICK
Your steward and your treasure
Have run away together.

CONRAD
Es-tu fou ?...

CONRAD
Are you mad?

PATRICK
Non, ma foi !
Tout est pillé !

PATRICK
No, upon my faith!
All has been plundered!

CONRAD
C'est fait de moi !
Va-t'en, va-t'en !
(Patrick sort.)
O rage ! ô douleur ! ô torture !

CONRAD
I am done for!
Go away, go away!
(Patrick leaves.)
Oh rage! Oh pain! Oh torture!

SPIRIDION, *de sa place, à Conrad*
Eh, mais ! quelle pâleur !
Vous est-il d'aventure
Arrivé quelque malheur ?

SPIRIDION, *from his seat, to Conrad*
Ho there! How pale you are!
Has some misfortune
Perchance befallen you?

CONRAD, *avec égarement*
Quoi ?... Que veux-tu, démon ?... Tu me
railles, je pense ?

CONRAD, *distraught*
What? What do you want, demon? You
mock me, I think?

LE CHŒUR
Est-il fou ?...

CHORUS
Is he mad?

CONRAD
Beau seigneur qui se met en dépense
D'un palais de carton pour loger
ses amours !
Sache qu'un monceau d'or...
(Il s'arrête brusquement.)
Non ! Mensonge ! démence !
Plus de victimes !
Assez de crimes !
D'un second meurtre, ô Dieu,
je veux être innocent.
Je n'achèterai pas l'amour au prix du sang.

CONRAD
You fine lord who spend your money
On a cardboard palace to accommodate
your lady-love!
I'll have you know that a pile of gold...
(He stops suddenly.)
No! A lie! Insanity!
No more victims!
Enough crimes!
Oh God, I want to be innocent
of a second murder.
I will not buy love at the price of blood.

*(Tout le monde se lève et descend sur le devant
de la scène.)*

*(All rise and go down to the front
of the stage.)*

LE CHŒUR
Il divague, il perd la tête.
Au diable le trouble-fête !

CHORUS
He is raving! He is losing his mind.
Devil take this killjoy!

CONRAD
Soyez tous maudits,
Débauchés sans âme ;
Soyez tous maudits.
Valets et bandits
De ce monde infâme.
Maudite sois-tu, courtisane !

CONRAD
A curse on you all,
Soulless debauchees!
A curse on you all!
Lackeys and outcasts
Of this loathsome world.
A curse on you, courtesan!

Que ta beauté se fane
Sous l'âpre destin !...

May your beauty wither
Under the bitter blows of Fate!

(aux jeunes seigneurs)	*(to the young lords)*
Maudite soit votre richesse !	A curse on your wealth!
(tirant l'épée et balayant tout ce qui se trouve	*(drawing his sword and sweeping everything*
sur la table)	*off the table)*
Maudite soit l'ivresse	A curse on the drunkenness
De votre festin !	Of your feast!
(Les danseuses s'enfuient épouvantées.	*(The dancers run away in horror. Fiametta*
Fiametta se réfugie près de Spiridion.)	*takes refuge beside Spiridion.)*
(Ensemble)	*(Together)*
LE CHŒUR	CHORUS
Voyez ce bandit	See this outcast
Que la rage enflamme ;	Inflamed by rage;
C'est nous que maudit	He curses us
Sa colère infâme ;	In his loathsome anger!
Voyez ce bandit.	See this outcast!
CONRAD	CONRAD
Soyez tous maudits,	A curse on you all,
Débauchés sans âme ;	Soulless debauchees!
Valets et bandits	Lackeys and outcasts
De ce monde infâme ;	Of this loathsome world,
Soyez tous maudits.	A curse on you all!
SPIRIDION	SPIRIDION
Ah ! l'enfer me dit	Ah! Hell tells me
Ce que veut ton âme.	What your soul desires.
LE CHŒUR	CHORUS
Voyez ce bandit	See this outcast
Que la rage enflamme.	Inflamed by rage!
(Conrad sort, écartant de son épée tout ce qui	*(Conrad exits, brushing everything in his path*
se rencontre sur son passage.)	*aside with his sword.)*

Acte troisième

Une petite maison cachée sous les arbres et
tapissée de pampres et de lierre. Au fond, des
vastes campagnes arrosées par le Danube et
éclairées par un soleil d'été.

02 PRÉLUDE

Scène 1
Mendiants, Paysans, Paysannes,
puis Hélène, Rosa

03 CHŒUR DES MENDIANTS
Voici le seuil hospitalier
Où chaque semaine
La faim nous ramène.
Quittons le bois et le hallier,
Pour nous l'heure sonne
Où, pieuse et bonne,
La fille aux doux yeux
Parait en ces lieux.

(Hélène et Rosa sortent de la maison, Rosa en
toilette de mariée.)

04 UN MENDIANT
La voici, mes amis ;
et sa sœur avec elle.
Quel doux sourire !
Qu'elle est belle !

LE CHŒUR
Salut à vous, ma chère demoiselle.
Que Dieu vous donne de longs jours,
Que Dieu sourie à vos amours !

LE MENDIANT
C'est aujourd'hui le jour de votre mariage
Et nous vous apportons ces fleurs.
Ne repoussez pas l'humble hommage
Des malheureux dont vous séchez les pleurs.

Act Three

A little house hidden under the trees and
covered with vines and ivy. In the background,
a broad landscape watered by the Danube and
lit by a summer sun.

PRELUDE

Scene 1
Beggars, Countrymen and Countrywomen,
then Hélène, Rosa

CHORUS OF BEGGARS
Here is the hospitable doorstep
To which each week
Hunger brings us back.
Let us leave the woods and thickets:
For us the hour has struck
When, pious and kind,
The girl with the gentle eyes
Comes here.

(Hélène and Rosa come out of the house, Rosa
in bridal dress.)

A BEGGAR
Here she is, my friends,
and her sister with her.
What a sweet smile!
How beautiful she is!

CHORUS
Greetings to you, my dear young lady.
May God grant you a long life,
May God smile on your love!

THE BEGGAR
Today is your wedding day
And we bring you these flowers.
Do not reject the humble tribute
Of the unfortunates whose tears you dry.

ROSA

Merci, je veux à mon corsage
Attacher une fleur de chacun d'entre vous ;
Il n'est point de présent
qui pût m'être plus doux.
Venez ce soir, pour vous la table sera prête ;
Je veux que vous soyez les princes de la fête.

LE CHŒUR

Que Dieu vous donne de longs jours,
Que Dieu sourie à vos amours !

*(Les mendiants sortent ; Hélène, Rosa et
Bénédict entrent dans la maison. Conrad
paraît.)*

Scène 2

05 CONRAD, *seul*
(Il regarde derrière lui.)
C'est là, là que mes mains
un soir l'ont enfoui.
J'ai reconnu la place,
et son charme m'attire.
Non, non, je l'ai juré !
(Promenant ses yeux autour de lui.)

Scène 3
Conrad, Hélène

HÉLÈNE, *entrant*
Conrad !

CONRAD
Hélène !

(Duo)

HÉLÈNE, *à part*
Hélas ! que lui dire ?
Malgré moi, j'ai peur.

ROSA

Thank you! I will fasten on my corsage
A flower from each of you;
There is no gift
that could be sweeter to me.
Come tonight, the table will be set for you;
I want you to be the princes of the feast.

CHORUS

May God grant you a long life,
May God smile on your love!

*(The beggars leave; Hélène, Rosa and
Bénédict enter the house. Conrad appears.)*

Scene 2

CONRAD, *alone*
(He looks behind him.)
That is where my hands
buried it one night.
I have recognised the place,
and its spell attracts me.
No, no, I have sworn it!
(He glances all around him.)

Scene 3
Conrad, Hélène

HÉLÈNE, *entering*
Conrad!

CONRAD
Hélène!

(Duet)

HÉLÈNE, *aside*
Alas! What should I say to him?
In spite of myself, I am afraid.

CONRAD, *à part*
C'est Dieu qui m'inspire ;
Ici le bonheur.

CONRAD, *aside*
It is God who inspires me;
Here is happiness.

HÉLÈNE, *de même*
Ah ! S'il pouvait lire
Au fond de mon cœur !

HÉLÈNE, *aside*
Ah! If only he could read
In the depths of my heart!

CONRAD
Là-bas, vain délire
Opprobre et douleur !

CONRAD
Over yonder lie vain frenzy,
Disgrace and sorrow!

HÉLÈNE
Quelle tristesse
Dans ses regards !

HÉLÈNE
What sadness
In his eyes!

CONRAD
Fatale ivresse,
Sombres hasards !

CONRAD
Fatal rapture,
Sombre perils!

HÉLÈNE
Quel noir souci
Trouble son âme ?

HÉLÈNE
What dark care
Troubles his soul?

CONRAD
Heureux ici ;
Là-bas infâme.

CONRAD
Happiness lies here;
Over yonder lies infamy.

(Ensemble)

(Together)

HÉLÈNE, *à part*
Hélas ! que lui dire ?
Malgré moi, j'ai peur.
Ah ! s'il pouvait lire
Au fond de mon cœur !

HÉLÈNE, *aside*
Alas! What should I say to him?
In spite of myself, I am afraid.
Ah! If only he could read
In the depths of my heart!

CONRAD, *à part*
C'est Dieu qui m'inspire ;
Ici le bonheur,
Là-bas, vain délire
Opprobre et douleur !

CONRAD, *aside*
It is God who inspires me;
Here is happiness,
Over yonder lie vain frenzy
Disgrace and sorrow!

CONRAD, *sortant de sa rêverie et
s'approchant d'Hélène*
Hélène, chère enfant, pardonne-moi,
je souffre.
(Il lui tend la main.)

CONRAD, *emerging from his reverie and
approaching Hélène*
Hélène, dear child, forgive me,
I suffer.
(He extends his hand to her.)

HÉLÈNE
Vous souffrez ?...

HÉLÈNE
You suffer?

CONRAD
Vois, mes mains sont brûlantes !

CONRAD
See, my hands are burning!

HÉLÈNE
Hélas !

HÉLÈNE
Alas!

CONRAD
Au bord même du gouffre
Je m'arrête... et vous tend les bras.

CONRAD
On the very brink of the abyss
I halt... and reach out my arms to you.

HÉLÈNE
Vous restez avec nous ?

HÉLÈNE
Will you stay with us?

CONRAD
Oui.

CONRAD
Yes.

HÉLÈNE
Quelques jours encore ?

HÉLÈNE
For a few more days?

CONRAD
Pour toujours.

CONRAD
For ever.

HÉLÈNE
Pour toujours ?

HÉLÈNE
For ever?

CONRAD
Oui, je veux en ce jour
Prendre ma part d'un bonheu
que j'ignore ;
L'enfant prodigue est de retour.

CONRAD
Yes, today I wish
To claim my share of a happiness
I do not know;
The prodigal son has returned.

HÉLÈNE
Ah ! béni soit votre retour !

HÉLÈNE
Ah! Blessed be your return!

CONRAD
Adieu, vaine chimère,
Adieu, folles amours ;
Ivresses mensongères,
Je vous fuis pour toujours.

CONRAD
Farewell, vain illusion!
Farewell, mad love!
Deceptive raptures,
I flee from you for ever.

HÉLÈNE, *à part, avec joie*
Bienheureuse journée !
O mon cœur, contiens-toi.
Sa faute est pardonnée,
S'il reste auprès de moi.

HÉLÈNE, *aside, with joy*
Ah, blessed day!
O my heart, contain yourself.
His fault is forgiven
If he remains with me.

CONRAD
Fatale destinée,
Je brave enfin ta loi.
Ma faute est pardonnée,
L'avenir est à moi.

CONRAD
Fatal Destiny,
At last I defy your law.
My fault is forgiven,
The future is mine.

CONRAD ET HÉLÈNE, *ensemble*
Plus de tristesse amère
Et plus de mauvais jours.
Le Ciel en qui j'espère
Sourit à nos amours.

CONRAD AND HÉLÈNE, *together*
No more bitter sadness
And no more evil days.
Heaven, in which I trust,
Smiles on our love.

(Spiridion paraît sous les traits et les habits du cocher Pippo.)

(Spiridion appears disguised as the coachman Pippo.)

Scène 4
Les mêmes, Spiridion puis Fiametta

Scene 4
The same, Spiridion then Fiametta

06 SPIRIDION
Pardon, seigneur Conrad.

SPIRIDION
Pardon me, Lord Conrad.

CONRAD
Plaît-il ?

CONRAD
What do you say?

SPIRIDION
Soyez en joie.
À deux pas d'ici,
j'ai versé
Ma maîtresse dans un fossé ;
Et la pauvre dame m'envoie
Implorer de votre bonté

SPIRIDION
May joy be with you.
A stone's throw from here,
I have just overturned
My mistress's carriage in a ditch;
And the poor lady has sent me
To beg of your kindness

Un moment d'hospitalité.	A moment of hospitality.

CONRAD
Ta maîtresse ?

CONRAD
Your mistress?

SPIRIDION
Faites-lui fête ;
Elle-même va vous présenter sa requête.

SPIRIDION
Please welcome her cordially;
She herself will present her request to you.

CONRAD, *devinant, en reconnaissant*
Spiridion (avec terreur)
Fiametta !
(à Hélène)
Viens, fuyons.

CONRAD, *guessing, as he recognises*
Spiridion; with terror
Fiametta!
(to Hélène)
Come, let us flee.

HÉLÈNE, *surprise*
Quoi...

HÉLÈNE, *surprised*
What?

CONRAD, *se ressaisissant*
Je suis fou, vraiment.
Non, va sans moi ;
je te rejoins dans un instant.

CONRAD, *pulling himself together*
Truly, I am mad.
No, go without me;
I'll join you in a moment.

SPIRIDION, *à part*
Ah ! ah ! tu te piques au jeu !

SPIRIDION, *aside*
Ha-ha! You've become addicted to the game.

HÉLÈNE, *à part*
Pourquoi m'éloigne-t-il et quelle est
cette femme ?
(Elle sort lentement.)

HÉLÈNE, *aside*
Why is he sending me away, and who is
that woman?
(She goes out slowly.)

SPIRIDION
Pauvre papillon bleu !
Tu vas te brûler à la flamme.

SPIRIDION
Poor little blue moth!
You'll burn yourself in the flame.

Scène 5
Conrad, Fiametta, Spiridion (caché)

Scene 5
Conrad, Fiametta, Spiridion (concealed)

CONRAD
Allons, plus de faiblesse
et plus de lâcheté ;
Il est temps qu'elle sache enfin la vérité.

CONRAD
Come now, no more weakness
and cowardice;
It is time for her to learn the truth at last.

(percevant Fiametta qui est entrée en costume de voyage)
Fiametta ! Quel démon vous amène !
(Fiametta lui fait comprendre qu'une voiture l'attend et qu'elle va partir.)
Vous partez ? Eh bien, soit ! moi, j'ai rompu ma chaîne.
(mouvement de surprise de Fiametta)
Recevez mes adieux ;
Moi, je reste en ces lieux.

CONRAD
Écoute !
Le malheur tout à coup
s'est dressé sur ma route ;
J'ai tout joué, j'ai tout perdu.
(Fiametta lui tend la main en souriant.)
Quoi ! ne comprends-tu pas ?
N'as-tu pas entendu ?
Le sort avide
A pris mon bien.
Ma bourse est vide,
Je n'ai plus rien.

(Spiridion se glisse au fond, derrière les arbres.)

(Ensemble)

CONRAD
Ô Dieu ! par quel cruel mensonge
Veut-elle encore m'abuser ?
Suis-je, hélas ! le jouet d'un songe ?
Je sens mes forces se briser.

SPIRIDION, *caché*
Oui, par cet adroit mensonge
J'espère encore t'abuser.
Que ton ivresse se prolonge.

(Fiametta entoure Conrad de ses bras.)

(seeing Fiametta, who has entered wearing travelling clothes)
Fiametta! What demon brings you here?
(Fiametta mimes that a carriage is waiting for her and she is about to leave.)
You are leaving? Well then, so be it! I have broken my chain.
(Fiametta makes a gesture of surprise.)
Receive my farewell;
I am remaining here.

CONRAD
Listen to me!
Suddenly misfortune
stood in my way;
I gambled everything, and lost everything.
(Fiametta extends her hand to him and smiles.)
What? Do you not understand?
Did you not hear?
Greedy Fate
Has taken my possessions.
My purse is empty,
I have nothing left.

(Spiridion slips over to the back of the stage, behind the trees.)

(Together)

CONRAD
O God! With what cruel lie
Does she still want to deceive me?
Am I, alas, the plaything of a dream?
I feel my strength ebbing away.

SPIRIDION, *concealed*
Yes, with this clever lie
I still hope to deceive you.
Let your intoxication continue.

(Fiametta puts her arms around Conrad.)

CONRAD
Partir ?...
Consens-tu donc à partager mon sort ?
Tu ne crains pas la mort ?...
Tu ne crains pas la faim,
le froid et la misère ?
(Fiametta tombe dans ses bras.)

07 Quel trouble s'empare
De tous mes sens ?
Ah ! Je le sens,
Ma raison s'égare ;
Je puis encore
Combler tes vœux.
Viens, viens, je t'adore.
Fuyons tous les deux.
(bas, à Fiametta)
Apprends un mystère
Que j'ai voulu taire ;
J'ai là-bas encore
Un riche trésor
Enfoui sous terre.
Attends et je reviens les deux mains
pleines d'or.
*(Il se dégage des bras de Fiametta et disparaît
derrière les arbres. Spiridion le suit des yeux.)*

Scène 6
Fiametta, Spiridion

08 SPIRIDION, *riant à Fiametta*
Bien joué ! Mais avec le timbre reconquis
Bientôt l'ami Conrad, je pense,
Va revenir, triomphe exquis !...
(regardant au-dehors)
Voici les mariés :
éblouis par ta danse,
Ils oublieront son absence.
Viens, j'entends les gais flonflons,
Les musettes et les violons.
(Il entraîne Fiametta derrière une charmille.)

CONRAD
You are leaving?
Then do you consent to share my fate?
Do you not fear death?
Do you not fear hunger,
cold and misery?
(Fiametta falls into his arms.)

What agitation takes hold
Of all my senses?
Ah, I can feel it,
I am losing my reason;
I can still
Fulfil your wishes!
Come, come, I love you.
Let us run away together.
(softly, to Fiametta)
I will tell you a secret
That I wanted to keep quiet;
Over there I still have
A rich treasure
Buried underground.
Wait and I'll come back with both hands
full of gold.
*(He extricates himself from Fiametta's arms
and disappears behind the trees. Spiridion
watches him go.)*

Scene 6
Fiametta, Spiridion

SPIRIDION, *laughing, to Fiametta*
Well done! But our friend Conrad
Will soon return with the bell regained,
I think: exquisite triumph!
(looking offstage)
Here come the bride and groom:
dazzled by your dance,
They will forget his absence.
Come, I can hear the merry oompahs,
The musettes and the violins.
(He leads Fiametta behind an arbour.)

(Entrent Bénédict, Rosa, les gens de la noce, et les mendiants. Les joueurs de cornemuse marchent en tête du cortège.)

(Enter Bénédict, Rosa, the wedding guests and the beggars. The bagpipers lead the procession.)

LE CHŒUR
Longs jours ! Heureuse destinée !
Longs jours aux joyeux époux.
Fêtons gaiement cette journée,
À leur bonheur unissons-nous.
Longs jours ! Heureuse destinée
Aux nouveaux époux !

CHORUS
Long life! A happy destiny!
Long life to the happy couple.
Let us celebrate this day cheerfully,
Let us join to wish them happiness.
Long life! A happy destiny
To the newlyweds!

BÉNÉDICT
Merci, merci.
(se tournant vers Rosa)
Je veux répondre à leur chanson
Par un air de ma façon.

BÉNÉDICT
Thank you, thank you.
(turning to Rosa)
I want to answer their song
With a tune of my own.

TOUS
Voyons, voyons, votre chanson.

ALL
Come on, let's have your song.

09 BÉNÉDICT
L'humble papillon de nuit
Aimait une étoile,
Dont l'éclat scintille et luit
Dans le ciel sans voile.
Vainement il prend l'essor
Pour voler vers elle ;
Il tombe et s'élance encor.
L'air manque à son aile.
L'Amour qui passait par là,
Lui dit : « Aime-la !
Pour conquérir le ciel même
Il suffit qu'on aime. »
Et le papillon joyeux
Monta vers les cieux.

BÉNÉDICT
The humble moth
Loved a star,
Whose splendour twinkled and gleamed
In the cloudless sky.
In vain he took flight
To soar up to her;
He fell, then launched out once more.
His wings could not raise enough wind.
Love, flying by at that moment,
Said to him: 'Love her!
To conquer Heaven itself
One has only to love.'
And the joyful moth
Rose up to the skies.

LE CHŒUR
Pour conquérir le ciel même
Il suffit qu'on aime.
Et le papillon joyeux
Monta vers les cieux.

CHORUS
To conquer Heaven itself
One has only to love.
And the joyful moth
Rose up to the skies.

ROSA
L'étoile, du firmament
Profond et superbe,
Vit le papillon charmant
Se jouer dans l'herbe.
Elle l'aime, et sa pâleur
Raconte à l'aurore
Quelle muette douleur
Hélas ! la dévore.
L'amour, voyant son émoi,
Lui dit : « Donne-toi !
Pour retrouver le ciel même
Il suffit qu'on aime. »
Et l'étoile au front joyeux
Disparut des cieux.

LE CHŒUR
Pour retrouver le ciel même
Il suffit qu'on aime.
Et l'étoile au front joyeux,
Disparut des cieux.

BÉNÉDICT
À l'heure où, limpide et pur,
Le ciel se dévoile,
Le papillon dans l'azur
Devenait étoile.

ROSA
À l'heure où revient le jour,
L'étoile bien vite
Redevenait à son tour
Humble marguerite.

BÉNÉDICT ET ROSA, *se tenant par la main*
L'amour qui veillait sur eux
Les rendit heureux.
Pour triompher du sort même,
Il suffit qu'on aime.
À vous, amants radieux,
La terre et les cieux.

ROSA
The star, from the lofty
And superb firmament,
Saw the charming moth
Fluttering on the grass.
She loved him, and her pallor
Revealed to the dawn
What mute suffering,
Alas, devoured her.
Love, seeing her emotion,
Said to her: 'Give yourself!
To find Heaven itself
One has only to love.'
And the star with joyous visage
Vanished from the skies.

CHORUS
To find Heaven itself
One has only to love.
And the star with joyous visage
Vanished from the skies.

BÉNÉDICT
At the hour when, limpid and pure,
The sky sheds its veils,
The moth in the azure
Became a star.

ROSA
At the hour when day returns,
The star very soon
Became in her turn
A humble daisy.

BÉNÉDICT AND ROSA, *holding hands*
Love, who watched over them,
Made them happy.
To triumph over Fate itself,
One has only to love.
Yours, radiant lovers,
Are the earth and the Heavens.

LE CHŒUR
Pour triompher du sort même.
Il suffit qu'on aime.
À vous, amants radieux,
La terre et les cieux.

*(Spiridion et Fiametta paraissent au fond.
Spiridion s'est transformé en joueur de
cornemuse. Fiametta tient un tambour de
basque à la main.)*

Scène 7
*Les mêmes, Fiametta, Spiridion, puis Conrad
et Hélène*

10 SPIRIDION
Holà, mes amis !
De bonne grâce,
Faites-nous place,
Je me suis permis
D'inviter moi-même
À vos gais ébats,
Cette belle enfant de Bohème
Qui suit mes pas.

BÉNÉDICT
Soyez les bienvenus tous deux.

TOUS
La belle fille !

SPIRIDION
Avec vous aujourd'hui,
Amis, permettez-lui
De danser sous la charmille.

BÉNÉDICT
Je ne vois pas Conrad.

ROSA
Hélène n'est pas là.

CHORUS
To triumph over fate itself,
One has only to love.
Yours, radiant lovers,
Are the earth and the Heavens.

*(Spiridion and Fiametta appear at the back of
the stage. Spiridion has transformed himself
into a bagpipe player. Fiametta holds a
tambourine in her hand.)*

Scene 7
*The same, Fiametta, Spiridiona, then Conrad
and Hélène*

SPIRIDION
Hey there, my friends!
With good grace
Make way for us!
I have taken the liberty
Of inviting
To your merry frolics
This beautiful Bohemian child
Who follows in my footsteps.

BÉNÉDICT
Welcome, both of you.

ALL
What a lovely girl!

SPIRIDION
Friends, permit her
To dance beneath the arbour
With you today.

BÉNÉDICT
I don't see Conrad.

ROSA
Hélène is not here.

SPIRIDION, *grimpant sur un tonneau*
Bon ! m'y voilà.

(Fiametta agite son tambour de basque et s'élance au milieu des danseuses. On forme vite une ronde autour d'elle. Spiridion souffle à pleins poumons dans sa cornemuse.)

11   LE CHŒUR
Plus vive que l'oiseau,
Plus souple qu'un roseau,
La fille de Bohème
S'élance ! Ne suivez pas ses pas.

12   Ha ! Heiza ! Hopsa ! Hopsasa !

(Spiridion saute à bas de son tonneau et suspend sa cornemuse à une branche d'arbre. La cornemuse se balance dans le vide et achève seule l'air commencé. La ronde tourbillonne avec une rapidité toujours croissante. Bénédict et Rosa se mêlent à la danse.)

SPIRIDION, *regardant la coulisse*
Conrad tarde bien. Que fait-il là-bas ?
Je le vois !
Le timbre d'argent brille entre ses doigts.
Il ne peut m'échapper,
Sa main se lève pour frapper.

(On entend dans la coulisse le son du timbre. Bénédict pousse un cri, porte en chancelant la main à son cœur et tombe dans les bras de Rosa. La cornemuse se tait. La danse s'arrête.)

ROSA
Dieu !

BÉNÉDICT
Je meurs.

(Moment de stupeur et d'épouvante. Hélène accourt, effrayée, Conrad paraît au fond, les

---

SPIRIDION, *climbing onto a barrel*
Good! Here I am.

(Fiametta shakes her tambourine and throws herself into the midst of the dancers. They quickly form a circle around her. Spiridion blows his bagpipes with all his might.)

CHORUS
Nimbler than a bird,
Suppler than a reed,
The Bohemian girl
Can leap! Don't follow in her footsteps.

Ha! Heiza! Hopsa! Hopsasa!

(Spiridion jumps down from his barrel and hangs his bagpipes from the branch of a tree. The bagpipes swing in the air and finish all by themselves the tune he began. The round dance swirls with ever-increasing speed. Bénédict and Rosa join in it.)

SPIRIDION, *looking offstage*
Conrad is late. What's he doing over there?
Ah, I see him!
The silver bell gleams between his fingers.
He cannot escape me!
His hand rises to strike.

(The sound of the bell can be heard offstage. Bénédict cries out, staggers, puts his hand to his heart and collapses into Rosa's arms. The bagpipes fall silent. The dance stops.)

ROSA
Oh God!

BÉNÉDICT
I am dying.

(A moment of amazement and horror. Hélène runs in, frightened. Conrad appears at the

yeux égarés et le timbre à la main.)

back of the stage, his eyes wild and the bell in his hand.)

HÉLÈNE
Bénédict !

HÉLÈNE
Bénédict!

CONRAD, *apercevant Bénédict étendu*
Bénédict !

CONRAD, *seeing Bénédict lying on the ground*
Bénédict!

SPIRIDION, *penché sur Bénédict*
Mort.

SPIRIDION, *leaning over Bénédict*
Dead.

TOUS
Mort !

ALL
Dead!

HÉLÈNE, *soulevant entre ses bras la tête de Rosa évanouie*
Ah !

HÉLÈNE, *raising the head of the fainting Rosa in her arms*
Ah!

CONRAD, *avec égarement*
Malheur ! Malheur sur moi !

CONRAD, *frantically*
Woe! Woe upon me!

(Fiametta lui prend la main et lui fait signe de fuir. Il disparaît avec elle. Spiridion les suit en ricanant.)

(Fiametta takes his hand and signals to him to flee. He disappears with her. Spiridion follows them, sniggering.)

Acte quatrième

Premier tableau

Au bord d'un lac. Clair de lune.
Conrad, les Sirènes (invisibles).

13 CONRAD
Quelle invisible main me pousse
vers l'abîme ?
C'est là. Le talisman du crime
Gît au fond des flots bleus
où ma main l'a jeté.
C'est là !... Je le vois luire.
Et son charme infernal
vers le gouffre m'attire !
C'est là ! je le vois luire
Dans la profonde obscurité.

CHŒUR DES SIRÈNES
Sur le sable brille,
Éclate, scintille,
Sur le sable blanc,
Un timbre d'argent.

CONRAD, *avec terreur*
Par les nuits calmes et sereines
La brise en passant
Apporte le chœur des Sirènes
Doux et caressant.

LE CHŒUR
Avec nous descends.

CONRAD
Pâles willis, vos chants m'appellent.

LE CHŒUR
Viens.

CONRAD
Dans vos bras c'est la mort.

Act Four

First tableau

By a lake. Moonlight.
Conrad, the Sirens (invisible).

CONRAD
What invisible hand pushes me
towards the abyss?
It is there. The talisman of crime
Lies at the bottom of the blue waters
where my hand threw it.
It is there! I see it gleaming.
And its infernal spell
draws me to the abyss.
It is there! I see it gleaming
In the dark depths.

CHORUS OF SIRENS
On the sand shines,
Glitters, sparkles,
On the white sand,
A silver bell.

CONRAD, *terrified*
On calm and serene nights,
The passing breeze
Wafts the chorus of Sirens,
Soft and caressing.

CHORUS
Come down to join us.

CONRAD
Pale Willis, your songs call me.

CHORUS
Come!

CONRAD
In your arms lies death.

LE CHŒUR
Viens.

CONRAD
Non, je n'obéirai pas ! Redoutons
Ce funeste délire.

LE CHŒUR
Viens.

CONRAD
Fuyons !
(Il s'enfuit.)

Deuxième tableau

*Une place publique. Au fond, un pont
praticable orné de statues. À droite, sur le
premier plan, la maison habitée par Hélène et
Rosa. À gauche, une rue éclairée par des
réverbères. Au fond, la ville. Fenêtres
illuminées de loin en loin. Toits couverts de
neige. Effet de lune.*

Scène 1
Le Chœur, puis Conrad, puis Hélène

14 LE CHŒUR
Carnaval ! Carnaval !
La ville s'éveille à ton gai signal.
La foule en habit de bal,
Chante autour de ton fanal ;
Carnaval !

*(Conrad, les habits en désordre, se précipite en
scène, poursuivi par une foule de masques.)*

CONRAD
Laissez-moi.

LA FOULE
C'est le fou, c'est le fou.

CHORUS
Come!

CONRAD
No, I will not obey! I must dread
This fatal madness.

CHORUS
Come!

CONRAD
I must flee!
(He runs away.)

Second tableau

*A public square. In the background, a
practicable bridge decorated with statues. To
the right, in the foreground, the house where
Hélène and Rosa live. On the left, a street
illuminated by street lamps. In the background,
the city. Lighted windows here and there.
Roofs covered with snow. Moonlight.*

Scene 1
Chorus, then Conrad, then Hélène

CHORUS
Carnival! Carnival!
The city awakens at your merry signal!
The crowd, in party costumes,
Sings around your lantern.
Carnival!

*(Conrad rushes onto the stage, his clothes
dishevelled, pursued by a crowd of maskers.)*

CONRAD
Leave me alone.

THE CROWD
It's the madman, it's the madman!

CONRAD
Ce sont eux,
Les démons !
(parlé)
Un ! deux ! trois ! quatre !...

LA FOULE, *riant*
Entendez-vous ? ah ! ah ! ah !

CONRAD
Fantômes hideux,
Spectres maudits !

LA FOULE, *riant*
Ah !

CONRAD
Laissez-moi.

LA FOULE
Viens avec nous.

CONRAD
Non ! grâce ! Laissez-moi, fantômes
Échappés des sombres royaumes.

LA FOULE
Marche à notre tête
Et danse avec nous ;
Ce soir les plus fous
Sont rois de la fête.
(en essayant de le faire danser et en dansant autour de lui)
La foule en habits de bal
Danse autour de ton fanal,
Carnaval !
Il faut rire et chanter. Carnaval !
Carnaval !

CONRAD
It is they,
The demons!
(spoken)
One! Two! Three! Four!

THE CROWD, *laughing*
Do you hear him? Ha-ha-ha!

CONRAD
Hideous ghosts,
Cursed spectres!

THE CROWD, *laughing*
Ha!

CONRAD
Leave me alone.

THE CROWD
Come with us.

CONRAD
No! Mercy! Leave me alone, ghosts
Escaped from the realms of darkness.

THE CROWD
Walk at our head
And dance with us;
Tonight the maddest of all
Are kings of the festival.
(trying to make him dance while dancing around him)
The crowd, in party costumes,
Sings around your lantern.
Carnival!
You must laugh and sing. Carnival!
Carnival!

Scène 2	Scene 2
Le Chœur, puis Conrad, puis Hélène	*Chorus, then Conrad, then Hélène*

15 HÉLÈNE, *dans la coulisse*
L'oiseau perdu dans l'espace
Dit au nuage qui passe :
« Mon sort au tien est pareil. »

HÉLÈNE, *offstage*
The bird lost in space
Says to the passing cloud:
'My fate is like yours.'

CONRAD
Écoutez !

CONRAD
Listen!

HÉLÈNE
« Loin des rumeurs de la terre,
Je vais, triste et solitaire
Vers le pays du soleil. »

HÉLÈNE
'Away from the noise of the earth,
I am going, sad and lonely,
To the land of the sun.'

CONRAD
Dieu !
Quelle est cette voix
dont mon cœur croit connaître
Le doux accent ?

CONRAD
Oh God!
What is that voice,
whose sweet strains
My heart believes it recognises?

LE CHŒUR
C'est Hélène qui chant
auprès de sa fenêtre.

CHORUS
It is Hélène, singing
by her window.

CONRAD
Hélène ? Ô Dieu ! Dieu tout puissant !

CONRAD
Hélène? Oh God! Almighty God!

HÉLÈNE, *ouvrant la fenêtre*
J'ai dit aux fleurs,
à Dieu même,
Le nom de celui que j'aime ;
En vain j'attends son retour ;
Lui-même à cette heure encore
Ne sait pas que je l'adore ;
D'autres m'ont pris son amour.
(Elle referme sa fenêtre.)

HÉLÈNE, *opening the window*
I have uttered to the flowers,
to God Himself,
The name of the man I love;
In vain I await his return;
Even he, at present,
Does not know I love him;
Others took his love from me.
(She closes her window.)

CONRAD
Ah ! pardonne à l'ingrat que Dieu
vers toi ramène.
À tes accents j'ai retrouvé

CONRAD
Ah, forgive the ungrateful wretch God
brings back to you!
Hearing your song, I have regained

L'espérance calme et sereine ;
Oui, le pardon m'attend
dans la maison d'Hélène.
J'espère, je renais ; Dieu bon !
je suis sauvé.

*(Il va pour s'élancer et trouve Spiridion en
costume diabolique dans la maison.)*

Scène 3
Les mêmes, Spiridion

SPIRIDION
Sauvé, l'ami Conrad ?
tu n'as pas de mémoire.
Va du timbre d'argent lui raconter l'histoire.

CONRAD, *qui s'est arrêté aux premiers mots
de Spiridion*
Tais-toi, tais-toi, démon du mal.

16 LE CHŒUR
Quel est donc ce timbre fatal ?

(Ballade)

(1.)

SPIRIDION
Sur le sable brille,
Éclate et scintille,
Sur le sable blanc,
Un timbre d'argent.
Ce timbre à celui qui le frappe
Donne un monceau d'or :
Mais le son clair qui s'en échappe
Est un glas de mort.
Entends-tu ce bruit d'or qui roule ?
Entends-tu ce cri de douleur ?
C'est un riche de plus qui passe
dans la foule
Pour un de plus qui meurt.

Calm, serene hope;
Yes, forgiveness awaits me
in Hélène's house.
I hope, I am reborn; merciful God,
I am saved!

*(He makes to run inside, and finds Spiridion
in the house, dressed in a devil costume.)*

Scene 3
The same, Spiridion

SPIRIDION
Saved, friend Conrad?
Your memory fails you.
Go and tell her the tale of the silver bell.

CONRAD, *who has stopped at Spiridion's
first words*
Hush, be silent, evil demon!

CHORUS
What is this fatal bell?

(Ballade)

(1.)

SPIRIDION
On the sand shines,
Glitters, sparkles,
On the white sand,
A silver bell.
That bell gives him who strikes it
A pile of gold:
But the clear sound it produces
Is a death knell.
Do you hear that sound of gold chinking?
Do you hear that cry of pain?
There goes one more rich man passing
through the crowd.
For one more who dies.

LE CHŒUR	**CHORUS**
Sur le sable brille,	On the sand shines,
Éclate et scintille,	Glitters, sparkles,
Sur le sable blanc,	On the white sand,
Un timbre d'argent.	A silver bell.

(II.) *(II.)*

SPIRIDION	**SPIRIDION**
Quelle main a jeté dans l'onde	What hand threw into the lake
Ce timbre qui luit ?	That gleaming bell?
Il semble à travers l'eau profonde,	Through the deep waters, it seems
Attirer à lui.	To have a power of attraction.
Plus d'un voulut tenter l'épreuve	More than one has wished to try his luck
Et sonder le gouffre inconnu ;	And probe that unknown abyss;
Plus d'un est descendu	More than one has descended
sur l'eau claire du fleuve	into the clear water of the river
Et n'est pas revenu.	And never come back.

LE CHŒUR	**CHORUS**
Sur le sable brille,	On the sand shines,
Éclate et scintille,	Glitters, sparkles,
Sur le sable blanc,	On the white sand,
Un timbre d'argent.	A silver bell.

(III.) *(III.)*

SPIRIDION	**SPIRIDION**
Par les nuits calmes et sereines,	On calm and serene nights,
La brise en passant	The passing breeze
Apporte le chœur des Sirènes,	Wafts the chorus of Sirens,
Doux et caressant.	Soft and caressing.
Le voyageur charmé s'arrête	The ravished traveller stops
Et se rapproche de ses bords ;	And approaches the edge of the lake;
L'onde semble dormir ;	The waters seem to sleep;
mais s'il penche la tête,	but if he leans his head over,
Il peut compter les morts.	He can count the dead in their depths.

CONRAD, *tirant un poignard de sa ceinture et l'élançant sur Spiridion*	**CONRAD**, *pulling a dagger from his belt and thrusting at Spiridion*
Ah ! tu te tairas, misérable !	Ah! You will say no more, you wretch!
(Il le frappe.)	*(He strikes him.)*

LA FOULE Désarmez-le.	THE CROWD Disarm him.
SPIRIDION, *souriant, à Conrad* Pourquoi cette fureur ? Réjouis-toi plutôt dans les bras d'une belle.	SPIRIDION, *smiling, to Conrad* Why such fury? Rejoice in the arms of a lovely girl instead.

Scène 4	Scene 4

17

SPIRIDION À moi ! filles d'enfer !	SPIRIDION Come to me! Daughters of Hell!
LA FOULE, *en riant* C'est le diable.	THE CROWD, *laughing* It's the Devil.
CONRAD O terreur !	CONRAD Oh terror!
(*À l'appel de Spiridion, Circé, dans son costume du premier acte et suivie de ses nymphes, paraît sur le pont. Toutes portent des masques de satin blanc et s'élancent en scène.*)	(*Answering Spiridion's call, Circé, in her Act One costume and followed by her nymphs, appears on the bridge. All of them wear white satin masks. They rush onto the stage.*)

Scène 5 *Les mêmes, Circé et ses Nymphes*	Scene 5 *The same, Circé and her Nymphs*

(*Conrad regarde Circé avec terreur et s'échappe des mains de ceux qui l'entourent. Circé court après lui, l'enlace de ses bras et le ramène. Les nymphes entourent Conrad et le retiennent. Séductions de Circé. Ballet éclairé par la lumière fantastique de la lune. À la fin du ballet, Circé attire Conrad sur le devant de la scène et lui fait signe de frapper sur un timbre invisible.*)	(*Conrad looks at Circé in terror and escapes from the hands of those who surround him. Circé runs after him, entwines him in her arms and brings him back. The nymphs surround Conrad and hold him prisoner. Circé now exercises her seductions in a ballet illuminated by the unearthly light of the moon. At the end of the ballet, Circé leads Conrad to the front of the stage and indicates that he should strike an invisible bell.*)

18

CONRAD, *épouvanté* Que me veux-tu ?... Va-t'en.	CONRAD, *frightened* What do you want of me? Go away!
LE CHŒUR Et quoi ! tu repousses la belle ?	CHORUS What? Would you reject this beautiful girl?

SPIRIDION
Ingrat ! Que ton cœur
se rappelle !
(*Il démasque Circé. Toutes les nymphes se
démasquent.*)

CONRAD, *reconnaissant Circé*
Ah ! C'est toi !...
Misérable esclave de Satan !
Hélène !... Hélène !... à moi !...

(*Hélène sort de la maison de droite.*)

Scène 6
Les mêmes, Hélène

HÉLÈNE, *reconnaissant Conrad et s'avançant
vers lui*
Conrad !

CONRAD, *lui montrant Circé*
C'est elle !

HÉLÈNE
Toujours elle !

CONRAD
Sauve-moi ! Sauve-moi !

SPIRIDION
Carnaval !

LE CHŒUR
Carnaval !

(*On danse autour de Conrad.*)

HÉLÈNE
(*Un bruit de cloche se fait entendre.*)
Écoutez.

SPIRIDION
Ungrateful wretch! Let your heart
remember!
(*He unmasks Circé. All the nymphs remove
their masks.*)

CONRAD, *recognising Circé*
Ah! It's you!
Miserable slave of Satan!
Hélène! Hélène! Come to me!

(*Hélène comes out of the house on the right.*)

Scene 6
The same, Hélène

HÉLÈNE, *recognising Conrad and coming
towards him*
Conrad!

CONRAD, *showing him Circé*
It is she!

HÉLÈNE
Again that woman!

CONRAD
Save me! Save me!

SPIRIDION
Carnival!

CHORUS
Carnival!

(*They dance around Conrad.*)

HÉLÈNE
(*A bell rings.*)
Listen.

LE CHŒUR
L'Angélus !

CHORUS
The Angelus!

(Les nymphes de Circé s'enfuient.)

(Circé's nymphs flee.)

(Ensemble)

(Ensemble)

19 HÉLÈNE
Je ne suis qu'une humble fille,
Sans amis et sans famille,
Et seule je le défends
Contre l'enfer triomphant.
Je le protège et le défends
Comme une mère son enfant.

HÉLÈNE
I am but a humble girl,
Without friends and family,
And I alone defend him
Against the triumph of Hell.
I protect and defend him
As a mother does her child.

CONRAD, *avec égarement*
Sur le sable brille,
Éclate et scintille,
Sur le sable blanc
Un timbre d'argent.

CONRAD, *wildly*
On the sand shines,
Glitters, sparkles,
On the white sand,
A silver bell.

LE CHŒUR
Dieu vous garde, ma belle enfant,
Dieu la protège et la défend.

CHORUS
God bless you, beautiful child,
God protect her and defend her.

(Les masques s'éloignent devant les gestes suppliants d'Hélène. Spiridion, Circé restent seuls en scène avec Hélène et Conrad.)

(The maskers move away in response to Hélène's pleading gestures. Spiridion and Circé remain alone on stage with Hélène and Conrad.)

Scène 7
Circé, Spiridion, Hélène, Fiametta puis le Fantôme de Bénédict, Rosa

Scene 7
Circé, Spiridion, Hélène, Fiametta, then Ghost of Bénédict, Rosa

20 CONRAD, *comme s'il sortait d'un rêve*
Hélène !

CONRAD, *as if emerging from a dream*
Hélène!

HÉLÈNE
Pauvre âme égarée !

HÉLÈNE
Poor lost soul!

CONRAD, *la serrant dans ses bras*
À tes accents délicieux,
Je crois voir s'entr'ouvrir des cieux
La voûte azurée.

CONRAD, *embracing her*
Hearing your lovely voice,
I think I see the azure vault of Heaven
Opening before me.

(Trio)

CONRAD
Enfant, pardonne-moi ;
Je puis aimer encore ;
Chère Hélène, c'est toi,
Toi seule que j'adore.

HÉLÈNE
Mon Dieu, soutenez-moi ;
Pour lui je vous implore ;
Cher Conrad, je te crois,
Mon cœur espère encore.

SPIRIDION, *à Fiametta*
Quoi ! son cœur t'échappe encore ?
Il se dérobe à ta loi !
C'est Hélène qu'il adore,
Son amour n'est plus à toi.

21 CONRAD, *s'arrachant des bras d'Hélène*
Mais non, non ; cette main
ne peut toucher la tienne.
Mes yeux s'ouvrent : mon cœur entend ;
qu'il se souvienne !
Adieu ! Je sens peser sur moi
la colère de Dieu.

HÉLÈNE
Conrad !

CONRAD, *montrant Circé*
Pour elle j'ai brisé ton cœur,
Pour elle, j'ai tué Bénédict
dans les bras de ta sœur.
Pour elle, j'ai tué ton père !

HÉLÈNE
Ah !

CONRAD, *repoussant la main d'Hélène*
Ah ! talisman funeste, arme maudite,
infâme !

(Trio)

CONRAD
Child, forgive me;
I can still love;
Dear Hélène, it is you,
You alone that I adore.

HÉLÈNE
My God, sustain me;
For him I implore thee!
Dear Conrad, I believe you;
My heart still hopes.

SPIRIDION, *to Fiametta*
What? Does his heart elude you once more?
He is free of your law.
It is Hélène he adores;
His love is no longer yours.

CONRAD, *tearing himself from Hélène's arms*
But no, no; this hand
cannot touch yours.
My eyes open: my heart hears;
let it remember!
Farewell! I feel the wrath of God
weighing upon me.

HÉLÈNE
Conrad!

CONRAD, *indicating Circé*
For her I broke your heart;
For her, I killed Bénédict
in your sister's arms.
For her, I killed your father!

HÉLÈNE
Ah!

CONRAD, *pushing Hélène's hand away*
Ah! Fatal talisman, cursed, infamous
weapon!

Que n'es-tu dans mes mains !	Why are you not in my hands now?
Que ne puis-je avec toi,	Why can I not use you
Briser, anéantir le cœur de cette femme,	To break, to destroy that woman's heart,
Dût l'enfer m'écraser !	Even if Hell should crush me?

(Le fantôme de Bénédict apparaît sur le pont	*(The ghost of Bénédict appears on the bridge*
et s'avance lentement vers Conrad, le timbre à	*and slowly advances towards Conrad, the bell*
la main. Circé se réfugié prés de Spiridion.)	*in his hand. Circé takes refuge near Spiridion.)*

LE FANTÔME DE BÉNÉDICT, *à Conrad,*	GHOST OF BÉNÉDICT, *to Conrad,*
en lui présentant le timbre	*presenting him with the bell*
Prends donc.	Take it, then.

HÉLÈNE	HÉLÈNE
Dieu !	Oh God!

CONRAD	CONRAD
Vain effroi !	Your fear is in vain!
C'est toi que j'attendais, spectre vengeur !	It is you I was waiting for, avenging ghost!

LE FANTÔME	GHOST OF BÉNÉDICT
Prends.	Take it.

CONRAD	CONRAD
Donne.	Give it to me.
(prenant le timbre)	*(taking the bell)*
Timbre fatal,	Fatal bell,
Démon de l'argent et du mal,	Demon of money and evil,
Tu ne tenteras plus personne.	You will not tempt anyone else.

(Il brise le timbre sous ses pieds, tout disparaît.	*(He breaks the bell under his feet and*
Un nuage passe sur le devant du théâtre et	*everything vanishes. A mist obscures the stage.*
laisse voir en se relevant l'atelier de Conrad.)	*When it lifts, we see Conrad's studio.)*

Troisième tableau	Third tableau

L'atelier de Conrad. Conrad, Spiridion,	*Conrad's studio. Conrad, Spiridion, Bénédict,*
Bénédict, Hélène, Rosa. On retrouve tous les	*Hélène, Rosa. We see all the characters in their*
personnages dans leurs costumes du premier	*costumes from the first act and in the same*
acte et dans la même situation qu'à la fin du	*situation as at the end of the previous tableau.*
tableau précédent. Conrad est étendu évanoui	*Conrad is lying unconscious on an armchair.*
sur un fauteuil. Le docteur Spiridion est	*Dr Spiridion is leaning over him and holding*
penché sur lui et lui tient la main. Bénédict est	*his hand. Bénédict is standing near Conrad.*

debout près de Conrad. Hélène et Rosa sont agenouillées et prient. Le tableau de Circé occupe la place de Fiametta. Le jour envahit la scène.	*Hélène and Rosa are kneeling in prayer. The painting of Circé occupies Fiametta's place. Daylight permeates the scene.*

22 HÉLÈNE ET ROSA, *agenouillées*
Ô Vierge mère,
Entends notre prière ;
Entends nos vœux.

BÉNÉDICT, *à Spiridion*
Eh bien, cher docteur ?

SPIRIDION
Il va mieux.

HÉLÈNE
Et ce terrible accès ?

SPIRIDION
Est le dernier, j'espère.

HÉLÈNE
Ah ! voyez, il ouvre les yeux.

CONRAD
Hélène ! Bénédict ! mes amis !
(avec effroi, en regardant Hélène)
Dieu ! son père
Tué par moi !

HÉLÈNE
Qu'avez-vous ?

CONRAD
Rien.
(à part)
J'ai donc rêvé ?
(avec terreur, en apercevant Spiridion)
C'est lui !

HÉLÈNE AND ROSA, *kneeling*
O Virgin Mother,
Hear our prayer,
Hear our pleas.

BÉNÉDICT, *to Spiridion*
Well, dear doctor?

SPIRIDION
He is better now.

HÉLÈNE
And that terrible fit?

SPIRIDION
It was the last one, I hope.

HÉLÈNE
Ah! See, he is opening his eyes.

CONRAD
Hélène! Bénédict! My friends!
(fearfully, looking at Hélène)
Oh God! Her father...
I killed him!

HÉLÈNE
What is wrong with you?

CONRAD
Nothing.
(aside)
So I was dreaming?
(with terror, seeing Spiridion)
It is he!

SPIRIDION
La crise
Est passée et tout ira bien.

CONRAD
C'était un rêve !

HÉLÈNE
À l'église
Notre père nous attend.

CONRAD
Votre père ! Vivant ! ô réveil !
ô bonheur !
(tombant aux genoux d'Hélène)
À vous mon âme ! à vous mon cœur !
(Il se relève, Hélène tombe dans ses bras. Rosa a ouvert la fenêtre. On aperçoit la foule agenouillée sur les marches de l'église, et l'on entend le chant des orgues. Soleil splendide au-dehors.)

CHŒUR, *dans la coulisse, très loin*
Noël !
Dieu clément, divin mystère !
Hommes, chantez sur la terre,
Anges, chantez dans le ciel !

CONRAD, HÉLÈNE, ROSA, SPIRIDION,
BÉNÉDICT
Dieu bon ! sur notre misère jette
un regard paternel !
Dieu clément jette un regard paternel !
Alléluia !

SPIRIDION
The crisis
Has passed, and all will be well.

CONRAD
It was a dream!

HÉLÈNE
At the church
Our father awaits us.

CONRAD
Your father! Alive! Oh new awakening!
Oh happiness!
(falling at Hélène's knees)
Yours is my soul! Yours is my heart!
(He gets up. Hélène falls into his arms. Rosa has opened the window. We see the crowd kneeling on the steps of the church, and hear the organ pealing. Resplendent sunshine outside.)

CHORUS, *offstage, in the far distance*
Noël!
Merciful God, divine mystery!
Humans, sing on earth;
Angels, sing in Heaven!

CONRAD, HÉLÈNE, ROSA, SPIRIDION,
BÉNÉDICT
Kindly God! On our misery cast
a fatherly glance!
Merciful God, cast a fatherly glance!
Alleluia!

23

Réduction de l'opéra pour piano seul.
Collection particulière.

Solo piano score of the opera.
Private collection.

Hélène Guilmette : *Hélène*
Jodie Devos : *Rosa*
Edgaras Montvidas : *Conrad*
Yu Shao : *Bénédict*
Tassis Christoyannis : *Spiridion*
Jean-Yves Ravoux : *Patrick*
Matthieu Chapuis : *Un Mendiant*

Les Siècles
accentus

François-Xavier Roth
direction

Jordan Gudefin : *chef assistant*
Mathieu Pordoy : *chef de chant*
Christophe Grapperon : *chef de chœur*

L'œuvre a été présentée en version scénique à l'Opéra Comique
les 9, 11, 13, 15, 17, 19 juin 2017
Production : Opéra Comique | Coproduction : Palazzetto Bru Zane

Enregistrement réalisé au Studio de la Philharmonie de Paris, les 26 et 27 juin 2017
Direction artistique et direction du son : Jiri Heger
Ingénieure du son : Alix Ewald
Assistant : Charles-Alexandre Englebert

℗ 2020 Palazzetto Bru Zane

HÉLÈNE GUILMETTE

JODIE DEVOS

EDGARAS MONTVIDAS

YU SHAO

TASSIS CHRISTOYANNIS

JEAN-YVES RAVOUX

MATTHIEU CHAPUIS

photo : Rokas Darulis

photo : Marine Cessat-Bégler

photo : Chryssa Nikoleri

LES SIÈCLES

PREMIERS VIOLONS
François-Marie Drieux *(solo)*
Ian Orawiec
Jérôme Mathieu
Simon Milone *(solo sur CD1, 20)*
Laetitia Ringeval
Fabien Valenchon
Laure Boissinot
Matthias Tranchant
Noémie Roubieu
Chloé Julian

DEUXIÈMES VIOLONS
Martial Gauthier *(chef d'attaque)*
Caroline Florenville
Arnaud Lehmann
Mathieu Kasolter
Rachel Rowntree
Julie Friez
Pierre-Yves Denis
Thibaut Maudry

ALTOS
Carole Roth
Lucie Uzzeni
Marie Kuchinski
Hélène Barre
Laurent Müller
Catherine Demonchy
Vincent De Bruyne

VIOLONCELLES
Robin Michael *(solo)*
Guillaume François
Emilie Wallyn
Lucile Perrin
Amaryllis Jarczyk

CONTREBASSES
Cécile Grondard
Antoine Sobczak
Marion Mallevaes

FLÛTES
Marion Ralincourt *(première)*
Julie Huguet *(deuxième)*
Nicolas Bouils *(piccolo)*

HAUTBOIS
Hélène Mourot
Stéphane Morvan

CLARINETTES
Christian Laborie
Rhéa Rossello

BASSONS
Michael Rolland
Antoine Pecqueur

CORS
Bruno Peterschmitt *(solo)*
Emmanuel Bénèche
Cédric Müller
Pierre Rougerie

TROMPETTES
Fabien Norbert
Emmanuel Alemany
Sylvain Maillard
Aurélien Lamorlette

TROMBONES
Damien Prado
Guy Duverget
Jonathan Leroi
Aurélie Serre
Eddie Souchois
Kévin Roby *(trombone contrebasse)*

TIMBALES
David Dewaste

PERCUSSIONS
Eriko Minami
Guillaume Le Picard
Nicolas Gerbier

HARPE
Valeria Kafelnikov

ACCORDÉON
Élodie Soulard

ORGUE
Vincent Warnier

photo : Holger Talinski

Les Siècles sont en résidence à l'Atelier Lyrique de Tourcoing, association subventionnée par la Ville de Tourcoing, la Région Hauts-de-France, le Département du Nord et le Ministère de la Culture et de la Communication.

Mécénat Musical Société Générale est le mécène principal de l'orchestre.

L'ensemble est depuis 2010 conventionné par le Ministère de la Culture et de la Communication et la DRAC Hauts-de-France pour une résidence dans la région Hauts-de-France. Il est soutenu depuis 2011 par le Conseil Départemental de l'Aisne pour renforcer sa présence artistique et pédagogique sur ce territoire, notamment à la Cité de la Musique de Soissons. L'orchestre est soutenu depuis 2018 par la Région Hauts-de-France au titre de son fonctionnement.

L'orchestre intervient également à Nanterre grâce au soutien de la Ville de Nanterre et du Département des Hauts-de-Seine. L'orchestre est artiste associé permanent au Théâtre de Nîmes, artiste en résidence dans le Festival Berlioz à La Côte Saint-André, au Théâtre du Beauvaisis, scène nationale, au Théâtre-Sénart et dans le Festival Les Musicales de Normandie.

L'orchestre est soutenu par la Caisse des Dépôts et Consignations, mécène principal du Jeune Orchestre Européen Hector Berlioz, par la Fondation SNCF pour la Jeune Symphonie de l'Aisne, par l'association Echanges et Bibliothèques et ponctuellement par le Palazzetto Bru Zane – Centre de musique romantique française, par la SPEDIDAM, l'ADAMI, l'Institut Français, le Bureau Export, la SPPF et le FCM.

Les Siècles sont membre administrateur de la FEVIS et du PROFEDIM, membre de l'Association Française des Orchestres et membre associé du SPPF.

photo : Julien Benhamou

ACCENTUS

SOPRANOS		BASSES
Sophie Boyer	Mélisande Froidure-Lavoine	Frédéric Bourreau
Caroline Chassany	Anne Gotkovsky	Sébastien Brohier
Pascale Costes	Catherine Hureau	Anicet Castel
Sylvaine Davene	Françoise Rebaud	Olivier Déjean
Pauline Feracci		Grégoire Fohet-Duminil
Ellen Giacone	TÉNORS	Jean-Baptiste Henriat
Karine Godefroy	Thomas Barnier	Julien Neyer
Émilie Husson	Matthieu Chapuis	Guillaume Pérault
Zulma Ramirez	Sébastien D'Oriano	
	Jean Klug	
	Arnaud Le Du	
ALTOS	Eric Raffard	
Florence Barreau	Jean-Yves Ravoux	
Isabelle Dupuis Pardoel	Maurizio Rossano	
Marie Favier	Steve Zheng	

accentus, centre national d'art vocal Paris Île-de-France – Normandie, bénéficie du soutien de la Direction régionale des affaires culturelles d'Île-de-France, du Ministère de la culture et est subventionné par la Ville de Paris, la Région Île-de-France et la Région Normandie. Il reçoit également le soutien de la SACEM. Le chœur est en résidence à l'Opéra de Rouen Normandie. Les activités de diffusion et d'actions culturelles d'accentus dans le département bénéficient du soutien du Département des Hauts-de-Seine. La Fondation Bettencourt Schueller est son mécène principal. accio réunit individuels et entreprises autour des actions artistiques et pédagogiques initiées par Laurence Equilbey.

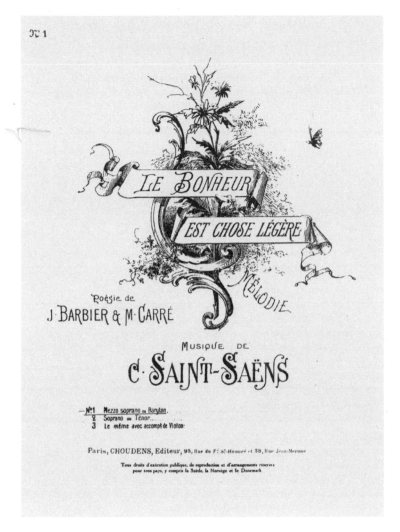

Air d'Hélène éditée en mélodie pour voix et piano.
Collection particulière.

Hélène's Air, published as a *mélodie* for voice and piano.
Private collection.

CAMILLE SAINT-SAËNS (1835-1921)

Le Timbre d'argent

Drame lyrique en 4 actes sur un livret de Jules Barbier et Michel Carré,
achevé en 1865 et créé le 23 février 1877 au Théâtre National Lyrique à Paris.
Version 1914. Éditions Choudens.
Premier enregistrement mondial.

CD I [76:46]

Acte premier

01 OUVERTURE 12:16

02 SCÈNE : *Nuit d'ivresse et de fête !...* (Bénédict, Chœur) 1:57

03 SCÈNE : *Eh bien ?* (Hélène, Rosa, Bénédict, Spiridion, Chœur) 3:00

04 CHŒUR : *Ô vain mirage !* (Chœur) 1:37

05 SCÈNE : *Quoi ? Vous partez ?* (Hélène, Rosa, Bénédict) 1:44

06 PRIÈRE : *Ô Vierge mère* (Hélène, Rosa) 2:17

07 SCÈNE : *Bénédict, quelles sont ces clameurs ?* (Bénédict, Conrad) 1:17

08 MÉLODIE : *Humble et pauvre, es-tu donc heureux ?* (Bénédict, Conrad) 2:17

09 SCÈNE : *Non, non ! que parles-tu d'unir à ma détresse* (Bénédict, Conrad) 3:31

10 SCÈNE : *Carnaval ! Carnaval !* (Conrad, Chœur) 1:22

11 AIR : *Dans le silence et l'ombre* (Conrad) 2:08

12 SCÈNE : *Carnaval ! Carnaval !* (Conrad, Chœur) 1:57

13 CHŒUR : *Circé ! renais à la vie* (Chœur) 2:32

14 SCÈNE : *Ô rêve d'amour !...* (Conrad, Bénédict, Spiridion, Chœur) 4:41

Acte deuxième

Premier tableau

15 ENTRACTE ET CHŒUR : *Gloire à la belle* (Chœur) 1:42

16 SCÈNE : *Un collier manquait aux atours* (Conrad, Spiridion, Chœur) 3:31

17 PAS DE L'ABEILLE ET SCÈNE : *Fiametta !* (Conrad, Spiridion, Chœur) 5:31

18 SCÈNE DU JEU : *À vous les dés, marquis* (Conrad, Patrick, Spiridion, Chœur) 2:49

19 SCÈNE : *Pardon, ami Conrad* (Bénédict, Conrad) 4:50

20 ROMANCE : *Le bonheur est chose légère* (Hélène) 3:15

21 SCÈNE : *Dieu ! j'ai cru...* (Bénédict, Conrad) 2:37

Deuxième tableau

22 CHŒUR ET SCÈNE : *Séduisante almée* (Conrad, Spiridion, Chœur) 1:54

23 CHANSON NAPOLITAINE ET SCÈNE : *Qui je suis ?* (Spiridion, Conrad, Chœur) 3:52

Extraits de l'opéra transcrits pour piano seul.
Collection particulière.

Excerpts from the opera transcribed for solo piano.
Private collection.

Édition séparée de la « Chanson napolitaine » arrangée pour violon et piano.
Collection particulière.

Separate edition of the 'Neapolitan Song' arranged for violin and piano.
Private collection.